S0-AZO-077

Mystère royal à Londres

Catalogage avant publication de Bibliothèque et Archives nationales du Québec et Bibliothèque et Archives Canada

Dumais, Geneviève, 1977-, auteure

Mystère royal à Londres / Geneviève Dumais ; illustrations, Bruno St-Aubin.

(Jojo et Justine ; 3)
Public cible : Pour enfants de 8 ans et plus.

ISBN 978-2-89591-361-0

I. St-Aubin, Bruno, illustrateur. II. Titre. III. Collection : Jojo et Justine ; 3.

PS8607.U441M97 2019 jC843'.6 C2018-943061-3
PS9607.U441M97 2019

Dépôts légaux : 1er trimestre 2019
Bibliothèque nationale du Québec
Bibliothèque nationale du Canada
ISBN 978-2-89591-361-0

Illustrations : Bruno St-Aubin
Mise en pages : André Ferland
Correction et révision : Bla bla rédaction

4339, rue des Bécassines
Québec (Québec) G1G 1V5
CANADA
Téléphone : 418 628-4029
Sans frais depuis l'Amérique du Nord : 1 877 628-4029
Télécopie : 418 628-4801
info@foulire.com

Les éditions FouLire reconnaissent l'aide financière du gouvernement du Canada pour leurs activités d'édition.

Elles remercient la Société de développement des entreprises culturelles du Québec (SODEC) pour son aide à l'édition et à la promotion.

Elles remercient également le Conseil des arts du Canada de l'aide accordée à leur programme de publication.

Gouvernement du Québec – Programme de crédit d'impôt pour l'édition de livres – gestion SODEC

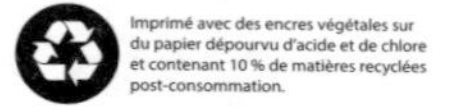

Canada

IMPRIMÉ AU CANADA/PRINTED IN CANADA

Jojo et Justine

Geneviève Dumais

3

Mystère royal à Londres

Illustrateur : Bruno St-Aubin

CHAPITRE 1

Avant que le spectacle commence...

Dans le château de la reine d'Angleterre, Jojo fait les cent pas. Entre ses respirations bruyantes de passionnée de yoga, ma grand-tante n'arrête pas de répéter :

– Quand le prince viendra me saluer, je dois attendre qu'il me tende la main le premier...

Ça se voit tout de suite qu'elle est nerveuse. Avec raison ! Jojo s'apprête à monter sur scène pour célébrer l'anniversaire du prince William. Par la fenêtre, on voit des centaines de spectateurs déjà installés dans les jardins du palais pour ce grand concert. Dans le salon bleu réservé aux invités de marque, on

cherche ensemble Zlatar, son maître de sitar, qui doit assister au spectacle.

Jojo semble plus excitée de revoir son professeur que de rencontrer la reine! Maureen, la responsable du protocole, a tout de même pris le temps de lui expliquer comment se comporter avec la famille royale.

Jojo était loin de mesurer le défi qui l'attendait. Pour l'occasion, elle a dû adapter sa tenue de scène et laisser ses dizaines de foulards à l'appartement. Moi, j'ai gardé mon collier à plume d'aigle, qui représente mon animal totem. Je ne m'en sépare jamais depuis mon voyage dans le désert[1].

Les autres artistes réunis avant le spectacle ne paraissent pas plus à l'aise que Jojo dans cet immense salon décoré de toiles anciennes. C'est normal: on ne joue pas tous les jours devant la royauté.

---

1. Voir *Primeur dans le désert*, la deuxième aventure de Jojo et Justine.

Et pour moi, Justine Ranger de Montréal, la probabilité de me trouver ici, à Londres, cet été, était encore plus faible...

– Pauvre prince William ! Je ne pourrais jamais vivre une vie aussi encadrée ! me chuchote Jojo.

Au même moment, un groupe rock américain fait son entrée dans la pièce. J'ignore qui sont ces musiciens. S'ils étaient arrivés 15 minutes plus tôt, mon ami Théo aurait pu me les nommer, car lui et moi, on était en conférence vidéo. Les vedettes, c'est sa spécialité. Moi, je n'en connais aucune. À part Jojo, bien entendu !

C'est grâce à sa réputation d'artiste internationale qu'on est ici, toutes les deux, pour ce concert à Buckingham Palace.

Mes parents n'en revenaient pas quand ils ont compris que je visiterais le château de la reine. Moi non plus, d'ailleurs !

Dès que Mamie a appris que Jojo m'avait invitée à l'accompagner, elle m'a tout de suite prêté un livre d'Amanda Tristie.

– Tu pourras te renseigner sur le pays que tu vas découvrir, m'a-t-elle lancé en fouillant sa bibliothèque parfaitement ordonnée.

Pour le moment, ce roman policier, que j'ai commencé à lire dans l'avion, me donne surtout des trucs sur la façon de reconnaître un suspect... Je dois dire que ça m'intéresse beaucoup puisque je veux devenir journaliste d'enquête.

– Comme j'aimerais me délier les doigts sur mon sitar ! soupire Jojo.

Jusqu'à hier, je pensais que cet instrument, dont elle ne se sépare jamais, était plutôt UNE cithare. Jojo, qui en parle comme s'il s'agissait de son grand amour, m'a expliqué que le sitar, LUI, était un instrument d'Asie bien différent, malgré un nom semblable.

Ensuite, elle m'a nommé au moins 42 qualités de son instrument. On croirait qu'il s'agit d'une vraie personne!

– Jojo, tu as tellement joué, hier soir… Tu dois encore répéter?

– J'ai bien appris ma partition. Seulement, j'établis toujours un contact avec mon instrument avant un spectacle, lance Jojo, moins zen qu'à l'habitude.

Hier, après avoir visité Londres toute la journée, Jojo avait autant d'entrain qu'avant de monter sur scène. C'est probablement grâce à ses exercices de respiration pour maintenir l'énergie vitale. Moi, je me suis presque endormie dans le bus rouge à deux étages, au retour vers notre appartement loué.

À notre arrivée au château, tout à l'heure, les responsables de la sécurité ont expliqué que les instruments devaient tous être emportés en coulisses pour éviter le va-et-vient. À ce moment-là, j'ai senti

Jojo tendue pour la toute première fois depuis qu'on se connaît, elle et moi.

Je l'ai rencontrée durant une semaine de relâche, alors qu'elle était en tournée à Montréal, mais c'est comme si Jojo avait toujours été là. C'est un peu vrai d'ailleurs puisqu'elle fait partie de la famille. N'empêche, il n'y a pas si longtemps, je savais à peine que Mamie avait une sœur musicienne aux États-Unis qui ne ressemblait à personne. Depuis, elle a un peu changé ma vie... Après lui avoir rendu visite en Californie, j'ai maintenant la chance de la suivre en Europe.

Bien installée dans un fauteuil colonial, Jojo se met à pousser de drôles de sons accompagnés de grands gestes avec les bras.

– Yah ! Bah ! Bah ! Yah ! Bah !

Ça ne la gêne pas d'attirer l'attention. Elle poursuit avec encore plus d'intensité.

À l'autre bout de la pièce, Maureen l'observe, sans trop savoir si elle doit intervenir ou non. Elle n'avait certainement pas prévu pareille situation en prenant en charge l'accueil de Jojo ! Son flegme britannique lui commande peut-être de ne pas bouger, mais elle arrive mal à dissimuler son étonnement.

– Ça va, Jojo ?

Je pose la question pour la forme, mais je vois bien qu'elle a retrouvé un peu de son naturel. Je crois même qu'elle se mettrait nu-pieds tout de suite si on était ailleurs que dans un château !

– Je vais très bien, ma Justine ! Je libère simplement le trac qui m'habite. J'ai l'habitude de le faire en jouant un peu de sitar, mais comme ce n'est pas possible... Yah ! Bah ! Bah ! Yah ! Bah !

Si ma mère était avec nous, elle s'empresserait d'ajouter une application anti-stress sur le cellulaire de Jojo. Ma mère gère sa vie entière à partir de son téléphone !

Je ne serais même pas étonnée qu'elle nous ait déjà envoyé une dizaine de textos depuis le dernier quart d'heure... Pour l'instant, impossible d'y répondre, car on a dû remettre aussi le téléphone de Jojo aux responsables de la sécurité avant de pénétrer dans ce salon. C'est sérieux, l'anniversaire d'un prince !

– *Please to meet you !*

Un homme élégant, qui semble sorti d'une époque ancienne, avant l'invention des téléphones cellulaires, s'approche de Jojo pour converser. Ne voit-il pas qu'elle a les yeux fermés derrière ses petites lunettes rondes ?

– Yah ! Bah ! Bah ! Yah ! Bah !

Jojo semble bien décidée à continuer de crier comme une guerrière de dessin animé.

Comme il n'obtient aucune réponse de sa part, l'homme se tourne vers moi.

– *Is she your grandmother?*

Je suis presque certaine qu'il me demande si Jojo est ma grand-mère! Mon voyage dans l'Ouest américain m'a bel et bien aidée à améliorer mon anglais.

– *No. This is Jojo*!

Je suis fière de ma réponse en anglais. Moi, si timide, je n'ai même pas hésité! Bon, je reste quand même plus gênée que mon ami Théo, mais je n'ai plus aussi peur des exposés oraux. Selon Mamie, j'ai changé depuis que j'ai trouvé ma passion...

– Vous êtes de France? m'interroge maintenant le monsieur dans ma langue.

On dirait bien que je n'ai pas encore le parfait accent anglais.

– Aaohhhh !

Jojo pousse soudain un énorme bâillement, comme si elle était seule dans sa chambre par un dimanche de grasse matinée. Son rugissement est loin de passer inaperçu. Au château, là où tout le monde se tient bien droit, ça ne doit pas se voir souvent !

Même s'il a l'air surpris, l'homme tend la main à Jojo pour l'aider à se lever du fauteuil.

– Bonjour, madame. Je suis sir Charles Dunham. Enchanté de faire votre connaissance !

– Bonjour, Charles. Vous faites aussi partie du spectacle ?

En lisant mon roman d'Amanda Tristie, j'ai compris que *sir* signifie qu'on vient d'une famille noble ou, mieux encore, qu'on a reçu ce nom de la reine elle-même, comme du temps des chevaliers : un honneur, quoi ! Mais Jojo ne semble pas trop tenir compte du titre de noblesse de ce monsieur.

– Non. Je suis l'un des plus grands connaisseurs d'œuvres d'art au pays... et un ami de votre célèbre professeur de sitar.

– Ah, vous avez vu Zlatar ? Il doit assister au concert.

– Je ne l'ai pas aperçu. À son âge vénérable, il a bien gagné le droit d'être un peu en retard, n'est-ce pas ?

– La vieillesse est un état d'esprit. Zlatar ne sera donc jamais vieux, vous pouvez me croire !

Sur ce, Jojo referme les yeux et commence une série de respirations saccadées. Elle aime mieux poursuivre ses exercices que faire la conversation, on dirait. Le collectionneur, lui, semble avoir encore des choses à lui dire...

– Vous saviez que plusieurs musées du Royaume-Uni exposent au moins une pièce de ma collection ? Pour cette raison, j'ai la chance d'être invité à certains événements culturels de la famille royale.

Jojo pousse une longue et profonde expiration.

– En tout cas, vous parlez bien le français, finit-elle par lui dire en redressant la tête.

Visiblement, elle porte peu d'intérêt à sa collection.

– Je suis francophile, mais je me suis tout de même mépris sur l'accent de votre jeune amie. Vous êtes du Canada, mademoiselle, c'est ça ?

– Du Québec, oui.

Le sir amateur d'art fouille alors dans la poche de sa chic redingote. Il en sort un petit carton orné d'un dessin de papillon orangé, qu'il tend à Jojo.

– Je vous laisse ma carte. Depuis quelque temps, je m'intéresse aux instruments de musique traditionnels. Peut-être pourriez-vous m'aider...

– Je ne vois pas comment puisque je n'ai qu'un seul sitar que je tiens de mon maître et il n'est pas à vendre.

– Ne refusez pas à l'avance de belles occasions. Appelez-moi si vous le voulez ! dit le collectionneur en nous saluant.

– Aucun intérêt, laisse tomber Jojo en froissant discrètement la carte dans sa main.

Je suis intriguée par l'image du papillon sur le carton. C'est un monarque ! J'en ai déjà vu à l'insectarium.

– Tu me la donnes alors ?

– Fais-en ce que tu veux, ma belle Justine !

Je regarde attentivement la carte. Puis, une question me vient :

– Qu'est-ce qu'un francophile, Jojo ?

– Une personne qui aime la France et les Français.

Ça me fait penser à mon roman d'Amanda Tristie, dans lequel un des suspects est égyptologue et s'intéresse, lui, à l'Égypte et à ses pharaons !

Je me dis que sir Charles Dunham serait un bon personnage de roman policier…

CHAPITRE 2

Un concert difficile à oublier

Assise dans les jardins du palais, j'attends impatiemment le début du spectacle. À mes côtés, Maureen semble beaucoup moins excitée. Elle en a sûrement vu d'autres... La foule est bruyante et s'étend sur plusieurs mètres.

Soudain :

– *Ladies and Gentlemen, please welcome the Duke and Duchess of Cambridge !*

Une voix à la diction britannique résonne dans les haut-parleurs. Dans la foule, l'excitation monte d'un cran !

Je n'aperçois pas encore le prince et sa femme, Kate, qui doivent assister au concert avec leurs enfants. Pourtant, on m'a assise à quelques rangées de la scène, avec ceux qui accompagnent les artistes.

– *Please stand up, Justine !*

Maureen se lève de sa chaise et me fait signe de l'imiter. Cette jeune femme si sérieuse au col de chemise boutonné sous le menton donne l'impression d'être une surveillante d'examens de fin d'année !

Tout le monde est maintenant debout pour l'arrivée du prince William. Je dois m'étirer le cou pour parvenir à voir un tout petit bout de l'immense scène puisque des spectateurs aux énormes chapeaux occupent tous les premiers rangs. Rose, bleu, jaune pâle, vert pastel : on croirait une armée de miniparasols !

L'ambiance est électrique ! Je me dis que Théo aurait tellement aimé que je filme en direct ce qui se passe ici. Il aurait pu en faire un reportage pour la radio... puisque la vue est limitée !

D'ailleurs, je me demande bien comment les Londoniens, qui ont gagné leurs billets par tirage au sort et se trouvent tout au fond sur le gazon, réussiront à voir le concert. Au moins, ils pourront l'entendre !

Un écran géant s'allume et montre les membres de la famille royale prendre tranquillement place à l'avant. Les chapeaux finissent par s'abaisser. Le spectacle peut commencer !

***

Le chanteur du groupe rock américain que j'ai aperçu plus tôt au salon bleu salue la foule. Avant de quitter la scène, il lance d'une voix forte :

– *Thank you, and happy birthday, Prince William !*

Puis il disparaît, suivi de ses musiciens, sous un tonnerre d'applaudissements. Je n'ai pas réussi à bien entendre le nom du groupe, mais, devant tous les spectateurs en délire, je devine qu'il est vraiment très connu.

Le silence se fait et, en quelques secondes seulement, l'atmosphère change du tout au tout. Jojo vient d'apparaître sous les projecteurs, avec son magnifique instrument. La voir ainsi devant des milliers de personnes me donne une grande bouffée d'émotion. Je comprends Mamie d'être aussi fière de sa sœur !

Même si Jojo impose une ambiance moins endiablée que le groupe rock, elle capte rapidement l'attention de la foule avec son sitar.

Zing, dang, zing...

Tandis qu'elle joue, on entendrait une mouche voler, comme mon père aime le raconter. Il n'a pas oublié notre premier concert de Jojo, l'année où elle est venue à Montréal durant la relâche scolaire. Encore une fois, la magie opère !

Zing, dang, zing...

Alors qu'elle glisse tout naturellement ses doigts sur les cordes dorées, on dirait qu'elle fait vraiment corps avec son instrument. Je saisis mieux pourquoi elle n'aimait pas trop en être séparée avant le concert.

Jojo semble aussi à l'aise qu'un chat en plein soleil.

Le spectacle se termine rapidement et, en un éclair, je me retrouve à la porte de la salle de presse où Jojo accorde déjà des entrevues. Je vais repenser à ce concert tout l'été, j'en suis certaine. C'est mon premier grand spectacle, mais j'ai l'impression qu'il en vaut 10!

Rien à voir avec les récitals intimes de Jojo. Malgré son succès, elle joue rarement devant des foules. «Dans une petite salle, la vibration du public rejoint celle de mon sitar et nous parvenons à jouer ensemble tous les trois», a-t-elle déjà expliqué en entrevue à Théo Radio.

Je n'ai pas trop compris, Théo non plus d'ailleurs, mais, fidèle à lui-même, il a conclu par une blague pas tout à fait drôle: «À trois, est-ce qu'il y a plus de risque de fausser?» Comme d'habitude, Théo s'est esclaffé tout seul sans attendre de réponse.

Être animateur, ce n'est pas vraiment comme être journaliste: dans ce métier, il faut écouter attentivement les personnes interviewées pour arriver à découvrir la vérité!

Maureen m'offre de la limonade, mais je n'ai pas soif malgré la chaleur de juin. Ce qui se passe dans la salle de presse m'intéresse beaucoup plus: quelques médias autorisés questionnent les vedettes du jour.

Je finis par entrevoir Jojo en train de parler au micro d'une reporter. Dommage que je ne puisse m'en approcher à cause de la sécurité! J'essaie quand même d'imaginer toutes les questions qu'elle peut lui poser. Je me demande comment elle a préparé son entrevue. A-t-elle fait de nombreuses recherches pour trouver des détails inusités? Quand je serai journaliste, je garderai en tête que toute personne a une information unique à révéler.

Une savoureuse odeur provenant du salon bleu, juste à côté, me met maintenant l'eau à la bouche. Ça tombe bien: Jojo semble avoir terminé sa série d'entrevues. Sans attendre, elle me rejoint, puis m'entraîne vers le somptueux buffet dressé pour l'occasion.

– Ça creuse l'appétit, tout ce protocole! lance Jojo en attrapant une assiette de porcelaine.

Un peu plus tôt, le prince est venu féliciter les artistes dans le majestueux hall d'entrée. Toutes ces vedettes, y compris

Jojo, ont dû se placer dans un ordre bien précis et attendre d'être présentées au prince.

– Tu as faim, Justine ?

– Oh oui ! Tu penses qu'il y a du *fish and chips* ?

Depuis qu'on est en Angleterre, je raffole de ce plat composé de poisson et de frites servi parfois dans du papier journal. On est loin des bâtonnets de poisson de Mamie !

Jojo se met à rire.

– Le château de la reine est probablement le seul endroit en Angleterre où l'on n'en sert pas !

Je scrute l'impressionnante table de victuailles : Jojo dit malheureusement vrai.

– Vous avez découvert notre plat national, mademoiselle ?

Le collectionneur à la carte professionnelle de papillon se place en file derrière nous.

– Si vous venez visiter mes bureaux, je vous promets de vous faire goûter au meilleur *fish and chips* de tout le pays !

Se tournant vers Jojo, il précise :

– C'est une invitation sérieuse, vous savez ?

– Nous repartons bientôt, vous savez ? lui répond Jojo du tac au tac.

On voit tout de suite qu'elle n'a pas trop envie de lui parler.

– Dommage ! Nous aurions pu faire des affaires ensemble, qui sait ? répond le collectionneur.

– Malheureusement, il s'agit d'un court voyage où nous prévoyons passer le plus de temps possible avec mon maître de sitar, rétorque Jojo en cherchant vite une table... pour deux, de préférence.

Ses yeux perçants s'allument sous ses lunettes rondes et elle m'entraîne déjà à sa suite, nos deux assiettes pleines en main.

– De toute façon, j'ai votre carte, hein? ajoute-t-elle pour se débarrasser de sir Charles Dunham.

Tiens, tiens. Jojo repousse le collectionneur exactement comme Mamie fuyait Bernie quand nous l'avons connu en Californie... Serait-on encore au début d'une romance imprévue? Je ne crois pas. À vrai dire, nul autre que la musique ne peut ravir le cœur de Jojo.

Quand nous serons revenues à l'appartement, je prendrai tout de même le temps de mieux regarder la carte décorée d'un papillon. Je suis intriguée parce que j'ai l'impression d'avoir croisé dans la vraie vie un personnage d'Amanda Tristie.

Peut-être que j'ai trop d'imagination...

Une fois notre repas terminé, Jojo s'est empressée de récupérer son téléphone. On attend maintenant le sitar.

– Je fais un tout petit appel, Justine. J'en ai pour deux minutes seulement.

Il commence à se faire tard et j'ai hâte de rentrer. Non mais, quelle journée !

– Zlatar devait assister au concert, mais je ne l'ai pas vu au salon bleu ! lance Jojo en pitonnant sur son appareil.

– Est-il aussi bizarre que son nom ?

– Plus encore. Il est formidable ! répond Jojo, toute joyeuse.

Aucun doute : elle a hâte de revoir son professeur.

Comme il y a beaucoup de bruit, Jojo s'éloigne un peu pour mieux entendre son interlocuteur.

Tout près du comptoir de la sécurité, le groupe rock passe à quelques mètres de mon nez. Cheveux longs, barbe et lunettes fumées, le chanteur s'avance le premier pour récupérer son téléphone.

Le responsable lui fait signer un formulaire. Le visage un peu rouge, il souhaite de toute évidence lui demander autre chose… Sans doute trop gêné pour poser sa question, il se contente d'extraire de sa poche son propre téléphone et de contourner le comptoir.

C'est clair : il veut se prendre en photo avec le groupe !

Habitués, les musiciens s'installent autour de lui pour faire un *selfie*.

Je songe à Théo qui donnerait tout pour être à ma place, en ce moment. Lui, il aurait déjà ses photos avec toutes les vedettes du spectacle !

L'employé de la sécurité a le visage de plus en plus rouge. Il a beau s'étirer le bras comme un contorsionniste de cirque, il n'arrive pas à placer son téléphone assez loin pour que lui et les cinq membres du groupe entrent dans le portrait.

Le chanteur me sourit et retire ses lunettes noires. Avec l'audace d'une rock star, il s'empare du téléphone et me le tend.

– *Young Lady, would you mind taking a picture?*

Le groupe rock et l'employé devenu écrevisse tournent maintenant leur regard vers moi en prenant la pose!

Toute cette attention inattendue me rend nerveuse. En plus, je ne suis même pas sûre de savoir où appuyer pour prendre la photo... Je fais vite appel à mon sang-froid d'aigle. Voilà, le groupe est bien cadré et je pose le doigt sur le cercle au bas de l'écran. Clic!

D'une main un peu moite, je remets machinalement le téléphone au chanteur. À la blague, il fait mine de le glisser dans sa veste de cuir, mais finit par le rendre à son propriétaire.

À voir le sourire satisfait de l'employé aux joues rosies, je comprends que la photo est réussie!

***

Les cinq membres du groupe sont partis depuis un bon moment quand Jojo revient vers moi, l'air déçu...

– Zlatar ne se porte pas très bien, laisse-t-elle tomber.

Son maître doit avoir plus qu'un vilain rhume, car Jojo semble particulièrement bouleversée.

– Qu'est-ce qu'il t'a dit?

– En fait, j'ai parlé à son neveu. Il habite avec Zlatar depuis qu'il perd la mémoire. Mon maître commence à prendre de l'âge..., m'explique-t-elle, songeuse.

– C'est pour ça qu'il n'est pas venu au concert?

– Oui. J'aurais tant voulu jouer pour lui !

– Mais tu as dit qu'on irait le visiter chez lui, à Londres. Si tu apportes ton sitar, vous pourriez même faire de la musique ensemble !

– Oh, Zlatar était un virtuose de l'instrument, mais il ne joue plus depuis quelque temps déjà.

– À cause de sa mémoire ?

– Probablement, répond Jojo, un peu triste.

– Alors, il sera content que tu lui en joues. Quand irons-nous le visiter ?

– Demain matin.

Un sourire réapparaît sur son visage.

– Il faudra que je lui offre de l'essence de cactus. C'est excellent pour réveiller l'esprit !

Jojo a déjà retrouvé son aplomb… et ses curieux trucs santé !

– Bon, récupérons mon sitar et partons si on veut être en forme pour ce déjeuner avec Zlatar !

Comme nous nous dirigeons vers le comptoir, Maureen nous intercepte et prend Jojo à part. Même à cette heure tardive, elle semble très sérieuse. Le prince serait-il aussi sur le point de venir chercher son cellulaire ?

– *What ?*

La voix de Jojo est inhabituellement tendue.

– *We are very sorry,* lui dit Maureen sur un ton lent et posé.

La responsable du protocole a beau se dire désolée, elle ne risque pas le débordement d'émotions ! N'y tenant plus, je m'approche de Jojo.

– Je ne peux pas récupérer mon sitar, Justine ! me lance-t-elle avec un air ahuri.

– Pourquoi ?

– Maureen affirme qu'il faut fermer le périmètre. On ne peut plus avoir accès à l'arrière-scène ce soir !

On jurerait qu'elle vient d'assister à une catastrophe naturelle.

– Je connais l'employé derrière le comptoir, Jojo. Il pourra peut-être nous aider.

Jojo semble étonnée, mais elle se laisse tout de même entraîner.

Aussi droite qu'un garde royal, Maureen se plante devant nous. Sans perdre une once de son calme, elle entreprend de réexpliquer à Jojo pourquoi il est impossible d'aller chercher son sitar.

– C'est une décision de la sécurité, Justine, finit par me préciser Jojo, résignée. Ça arrive parfois quand un événement implique des membres de la monarchie et des chefs d'État. Tu comprends maintenant pourquoi je préfère les concerts intimes !

Je sens que Jojo a le cœur gros !

CHAPITRE 3

Une journée imprévisible

Je m'étire en sortant de ma chambre. Jojo est déjà debout. Elle a dû se lever bien avant moi puisqu'elle en est à sa troisième tasse de thé vert au coquelicot japonais. De petites poches infusées traînent dans un plateau sur sa table de nuit.

– Tu as bien dormi, Justine?

– Oui, oui.

– Moi, j'ai souffert d'insomnie. Ça ne m'était pas arrivé depuis au moins 50 ans!

Son yoga du dragon paisible, avant de se mettre au lit, n'a donc pas réussi à lui offrir une très bonne nuit.

– Ça doit bien faire autant d'années que je n'ai pas été séparée de lui pendant la nuit !

– Qui ça ?

À peine réveillée, je ne vois pas trop de qui elle parle.

– Mon précieux sitar ! J'ai tellement hâte de le retrouver chez Zlatar ! À l'heure qu'il est, il doit être entre bonnes mains, dans sa maison.

En fin de soirée, Maureen a promis à Jojo qu'on lui apporterait son sitar par voiture spéciale ce matin, à la première heure. Comme nous sommes attendues très tôt chez Zlatar, Jojo a fini par demander qu'on dépose son instrument chez lui.

Zing, dang, zing...

Des sons de sitar résonnent dans la chambre... C'est la sonnerie du téléphone de Jojo !

Elle semble soulagée en voyant la provenance de l'appel.

– Zlatar ! Il téléphone certainement pour me dire que mon précieux ami est arrivé à bon port.

Il suffit d'une minute de conversation pour découvrir que le pire s'est produit...

Jojo dépose son téléphone et me regarde, l'air paniqué :

– Pas de visite chez Zlatar. Il a été malade cette nuit... Et on a kidnappé mon sitar !

***

Des œufs frits, un croissant fourré à la chair à saucisse, des haricots blancs et une tomate cuite : j'aurais peut-être préféré du *fish and chips* pour déjeuner...

Après plusieurs appels et une trentaine d'exercices de respiration pour garder son calme, Jojo a fini par nous commander un déjeuner… mais elle n'a pas encore touché à son assiette. Moi, j'ai un peu plus d'appétit (sauf pour la tomate cuite). Une question me trotte toutefois dans la tête : comment le sitar de Jojo a-t-il bien pu disparaître ?

– La famille royale est vraiment certaine d'avoir fait livrer ton sitar chez Zlatar, ce matin ?

Jojo pose une main sur son cœur, comme pour conserver le peu de sérénité qu'il lui reste.

– Oui ! Selon Maureen, Zlatar est bien connu de la famille royale en tant que sujet d'honneur d'une ancienne colonie britannique en Inde. Le chauffeur était déjà allé chez lui à quelques reprises.

– Mais Zlatar n'a rien reçu ?

– Non ! Son neveu m'a assuré qu'on n'a rien livré chez lui, ce matin.

Jojo s'interrompt d'un coup afin de respirer profondément.

Je plonge mon couteau dans la gelée d'abricot orange vif... comme le papillon monarque imprimé sur la carte de sir Charles Dunham.

Mon cerveau s'anime. Et s'il s'agissait d'une piste ? Je me sens soudainement comme *miss* Scrabble, la détective de mon roman d'Amanda Tristie. J'aimerais quand même pouvoir discuter de mes soupçons avec quelqu'un avant d'alerter Jojo. Elle travaille si fort pour rester zen...

Dès que Jojo disparaît pour aller prendre son fameux bain au sel d'Epsom dont elle parle depuis tout à l'heure, je téléphone à Théo. Le visage de mon meilleur ami avance et recule sur l'écran du téléphone. Ses mots sont parfois enterrés par un drôle de grincement en plus de tous les bruits du terrain de camping. Je commence à être exaspérée !

– Théo, tu peux arrêter de te balancer deux minutes ?

– Hein ?

Mon ami se fige un instant. Il était en mouvement sans vraiment le réaliser ! C'est sa façon à lui de se concentrer. En personne, ça va, mais pendant un appel vidéo, ça rend la conversation difficile à suivre !

Je vois maintenant mieux la roulotte beige derrière lui.

– C'est là que tu habites pour les vacances ?

– Oui ! Mon père a même transporté mon studio ici. Je ne pouvais pas abandonner mes auditeurs tout un été !

Théo est l'animateur vedette de sa webradio. En fait, il en est le seul animateur, mais comme il a autant d'énergie que la moitié de notre classe réunie, Théo Radio ne manque pas de chroniques et d'émissions ! D'ailleurs, mon ami profite toujours des tournées de Jojo ou de sa participation à un événement spécial pour faire des entrevues avec elle. En ce moment, Jojo aurait probablement moins envie de parler à la radio…

– Le sitar de Jojo a disparu !

J'ai baissé un peu la voix. Jojo peut difficilement m'entendre puisque la porte de la salle de bains est fermée, mais il n'y a pas de risque à prendre.

– Allez-vous appeler la police ? demande Théo, très excité par cette histoire.

– Pour l'instant, on attend des nouvelles de la sécurité royale.

Secrètement, je préférerais mener ma petite enquête seule. Je sais bien que je ne suis pas une détective professionnelle, mais ça me donnerait l'occasion de tester mon flair de future journaliste d'enquête.

– Tu crois que l'instrument a été volé?

– C'est possible.

Je n'ose pas lui dire que j'ai peut-être rencontré un suspect, car j'entends l'eau de la baignoire s'écouler. Jojo pourrait sortir de la salle de bains d'une minute à l'autre. Je change donc vite de sujet.

– Tu aimes ça, le terrain de camping?

– Oui, mais je n'ai pas le temps de profiter de la plage. Je travaille, moi! Je dois continuer à promouvoir Théo Radio.

Quand Théo ne fait pas de blagues, dont il est souvent le seul à rire, il prend sa passion pour le micro très au sérieux. J'ai à peine le temps de lui demander comment il compte y parvenir qu'il me dévoile son grand projet de l'été.

– Justine, je vais inviter le public à un événement Théo Radio ! C'est connu, toutes les grandes stations ont des activités de promotion pour attirer et fidéliser les auditeurs. Théo Radio en organisera une, elle aussi ! dit-il, résolu.

Mon meilleur ami se lance alors dans une longue description. Ses idées se bousculent, mais j'arrive tout de même à entendre les mots *spectacle, feux d'artifice, concours*...

– Wow !

Je me montre enthousiaste pour l'encourager, mais, pour être franche, je me demande comment il arrivera à réaliser un projet aussi gros.

– Ça doit coûter cher tout ça, non?

– Pas si je trouve des commanditaires, me répond Théo, confiant.

Je reconnais bien mon ami: rien ne l'arrête!

– Je dois te laisser, Justine. J'ai le tournoi de minigolf du terrain de camping à couvrir pour ma chronique sur les sports d'été.

Théo met fin à l'appel sans autres explications. C'est tout lui!

De toute façon, j'ai une enquête à mener...

Mais par où commencer?

CHAPITRE 4

Que l'enquête débute !

Jojo et moi marchons dans Hyde Park. Par moments, elle donne l'impression d'être aussi décontractée que les touristes qui parcourent ce lieu bien connu de Londres. C'est tout un exploit, car elle espère très fort retrouver rapidement son sitar...

Je ne le savais pas, mais Jojo doit participer à un enregistrement important à New York, la semaine prochaine. Jojo et le groupe rock qui était au concert du prince doivent jouer ensemble la chanson thème d'un film sur la vie d'une princesse indienne devenue espionne durant la guerre.

Comme tout le monde se trouve actuellement à Londres, une répétition est même prévue durant notre séjour.

Pour l'instant, il est toutefois impensable pour Jojo d'interpréter ce morceau avec un autre instrument que le sien.

– Pour un musicien, ce n'est pas si simple de dénicher l'instrument qui lui convient. Mon sitar et moi étions au diapason, a-t-elle expliqué plus d'une fois depuis sa disparition.

Évidemment, Jojo s'accroche à l'espoir de revoir son précieux sitar.

Elle n'est pas encore au courant, mais, en tant que future journaliste d'enquête, je me suis fait la promesse de le retrouver. Ce seront mes premiers vrais pas dans le métier !

– Qu'en dis-tu si on s'arrête un peu sous ce saule ?

– Oui, profitons-en tandis qu'il ne pleut pas !

Alors que Jojo commence sa centième visualisation pour être guidée dans la recherche de son instrument, je m'installe sur un banc et sors un calepin de mon sac à dos. À la manière de *miss* Scrabble, je note les indices qui pourraient me mettre sur une piste...

Bon, voyons !

Mon suspect numéro un est le collectionneur Charles Dunham, que j'appellerai le monarque aux fins de l'enquête.

Quand on y pense, il aurait de bonnes raisons de s'être emparé du sitar de Jojo. Il souhaitait certainement le lui acheter pour garnir sa collection d'instruments, mais comme elle n'a même pas voulu entendre son offre...

En plus, il semble bien connaître la famille royale. Il a peut-être même des complices parmi les employés de la sécurité ! Il faut que je trouve un moyen de l'interroger subtilement. Ça tombe bien, je crois qu'un numéro de téléphone où le joindre apparaît sur sa carte.

Je regarde Jojo installée en lotus, les yeux fermés. La petite ride de souci sur son front ne trompe pas : elle est préoccupée par son sitar disparu.

Comment la convaincre de revoir le monarque ?

***

Par la fenêtre de ma chambre, j'entends Jojo siffloter sur le balcon. Au fond, elle me fait un peu penser à Théo. Ces deux-là ne se laissent jamais abattre bien longtemps par les difficultés.

D'ailleurs, mon meilleur ami rencontre, lui aussi, un obstacle de taille : le propriétaire du camping refuse de tenir l'événement Théo Radio et d'accueillir autant de gens de l'extérieur. Mine de rien, si mon ami lance l'invitation à tous ses auditeurs, ça risque de faire beaucoup de monde sur le terrain de minigolf!

– Ce qu'il faut, c'est gagner la confiance, m'expliquait Théo au téléphone, ce midi.

– Et comment tu vas y parvenir?

– En prouvant qu'on peut améliorer l'ambiance avec un peu d'animation! Pendant la fin de la semaine, je vais animer la vente-débarras du terrain de camping, m'annonce Théo, triomphant.

– Et tu penses qu'après ça, on va accepter ton événement avec des feux d'artifice et tout?

– Pourquoi pas? Je pourrais même chanter une chanson des New Stealers!

– Qui?

– Les mégavedettes que tu as vues sur scène au concert du prince. Espèce de chanceuse !

– Ah oui ! J'oublie toujours le nom de ce groupe.

Il faudrait d'ailleurs que j'arrive à le retenir puisque je dois revoir les membres du groupe bientôt pour la répétition de Jojo. Enfin, ça reste à voir... Jojo envisage d'annuler sa participation au film si elle n'a pas son sitar.

– Comment fais-tu ? On ne parle que des New Stealers ces temps-ci, avec leur nouvelle chanson et sa vidéo digne d'un film de superhéros. Il faut absolument que tu voies ça !

– Oui, oui.

Mon meilleur ami et moi n'avons pas exactement la même passion pour les vedettes du rock.

– Si je réussis à me confectionner un costume comme Ron, le chanteur, le camping sera en délire !

Théo est toujours convaincu que ses idées peuvent se concrétiser. Même quand il est le seul à y croire...

Au fond, on pourrait aussi douter qu'une fille de mon âge puisse mener une enquête sur un instrument de musique qui s'est fait enlever et, pourtant, je suis prête pour ma première recherche !

Jojo rentre et commence à préparer un masque de boue volcanique pour adoucir sa peau. Ça me laisse tout juste le temps de vérifier une information...

***

C'est bien ce que je pensais !

Le monarque a prêté quelques pièces de sa collection au musée londonien qui se trouve à quelques pas de notre appartement. J'ai pris l'information sur son site Web, le charlesdunham.com. À titre de sir et de grand collectionneur, il est apparemment assez connu dans le milieu des objets anciens.

Jojo a fini de se débarbouiller le visage. Je prends soin d'effacer l'historique de recherche sur son ordinateur portable. Jojo me donne la permission de l'utiliser, mais je ne voudrais pas qu'elle découvre ma petite enquête avant qu'elle soit suffisamment avancée. En journalisme, on dit qu'il faut toujours vérifier la fiabilité de ses pistes avant de savoir si on tient un bon filon.

J'espère que c'est le cas, car Jojo n'a pas encore eu de nouvelles de Maureen, qui est en contact avec la sécurité royale. Et il me reste peu de temps pour trouver un prétexte afin de revoir Charles Dunham...

***

Jojo et moi errons dans le grand musée. L'endroit ressemble un peu à la maison où se produit le crime inattendu dans mon roman d'Amanda Tristie ! Enfin, c'est comme ça que je l'imagine : pleine de vieux meubles, de statuettes d'Égypte, et avec les fenêtres chargées de lourds rideaux de velours vert olive.

J'aurais presque envie d'agiter une petite cloche pour qu'apparaisse le majordome de l'histoire. Au fait, je n'y avais pas songé, mais c'est peut-être lui qui a tout manigancé...

Comme le dit *miss* Scrabble dans le livre, le coupable est souvent celui qu'on ne soupçonne pas. Cette phrase me porte à réfléchir. Et si je faisais fausse route en pensant que le sitar de Jojo a disparu à cause du monarque ?

– Il faut que je t'amène visiter le désert du Sahara, un jour. Tu verras, il est très différent de celui des États-Unis !

Une reproduction miniature des pyramides d'Égypte a probablement donné cette bonne idée à Jojo.

– Crois-tu que Mamie serait prête à y retourner, maintenant[2] ?

– Oh oui ! Peut-être même avec Caramel ! lance Jojo.

À la pensée du chien de Mamie, cette petite boule de poils dorés que j'aime tant, je m'ennuie ! Caramel, lui, est sans doute très heureux de gambader au bord de la mer. En effet, Mamie passe les vacances avec Bernie sur la côte est des États-Unis. Qui aurait cru qu'elle serait tombée amoureuse de ce touriste qui l'appelait *Gigi* lors de notre dernier voyage ?

Sans trop le montrer, je lis attentivement tous les petits cartons près des objets

2. Voir *Granny Granole en vedette*, la première aventure de Jojo et Justine.

exposés. Je cherche une chose : le nom du monarque en toutes lettres...

Notre visite est déjà bien avancée, et toujours pas d'inscription du nom du monarque. Pourtant, son site Web dit bien que des pièces de sa collection se trouveraient dans ce musée.

– Viens, ma Justine ! Il y a de quoi s'en mettre plein la vue ici !

Jojo m'entraîne vers la dernière salle d'exposition. Pas étonnant qu'elle l'ait attirée : la salle est remplie de bijoux exotiques semblables à son collier.

– Je porterais bien ce diadème africain sur scène ! s'exclame Jojo, admirative. Enfin, si je retrouve mon sitar...

Je me retiens de révéler à Jojo que nous sommes peut-être sur les traces de son instrument.

– J'avoue que cette couronne serait jolie sur tes longs cheveux gris !

En ce qui me concerne, le plus large des bandeaux n'arriverait pas à contenir la rosette que j'ai au beau milieu du front. Une drôle de pensée me vient : si j'étais la reine d'Angleterre, est-ce qu'on changerait ma coiffure sur les billets de 20 dollars ?

Je cherche mon reflet dans un cadre vitré. Ma rosette y est toujours, mais c'est la photo qui attire plutôt mon attention : l'image en noir et blanc représente un groupe d'explorateurs devant le célèbre sphinx d'Égypte. Je tente de reconnaître celui qui pourrait ressembler à l'égyptologue de mon roman. J'opte pour le plus grand, à gauche, avec les moustaches en boucle.

Pour trouver son nom, je jette un coup d'œil au petit carton sous le cadre. Je n'arrive pas à y croire ! Il s'appelle

Charles Dunham. Pas de doute : il s'agit certainement du père du monarque !

Je me sens tout excitée par ma découverte et je ne tiens plus en place.

– Ça va, Justine ? demande Jojo, plantée à côté d'un guerrier pygmée en ivoire.

Je réfléchis très vite pour choisir les bons mots. Je ne voudrais surtout pas rater cette occasion en or de pousser mon enquête !

– Tu ne devineras jamais ce que je viens de découvrir !

Je tente de contenir mon excitation.

– Tu aimes les masques à ce point ? me répond Jojo en levant le pouce.

Je me retourne. Un immense visage sculpté à grande bouche et au nez aplati est accroché juste derrière moi, comme

s'il cherchait à m'avaler. Je sursaute en l'apercevant.

– Mais non. Viens voir!

Cling, cling!

Jojo s'approche avec presque autant de bijoux qu'une pharaonne. En pensée, j'implore les dieux égyptiens nommés dans mon roman pour que mon plan fonctionne!

– Lis bien les noms sous la photo!

Jojo parcourt le carton, mais il ne semble pas y avoir de déclic dans sa tête.

Il faut que j'insiste un peu.

– Tu as vu? Un des hommes a le même nom que le collectionneur qu'on a rencontré l'autre jour, au concert.

– Ah, peut-être, mais, comme la photo date de 1910, je te confirme que ce n'est pas lui ! dit Jojo à la blague.

– Je sais, Jojo. C'est probablement son père. Mais, tu t'en rends compte, il pourrait être un égyptologue comme dans le livre d'Amanda Tristie !

– Oui, c'est possible. Au fond, la vie est une histoire où nous sommes tous des personnages.

Il n'y a que Jojo pour proposer de telles réflexions ! Quand elle partage sa sagesse, Jojo est assurément de bonne humeur. C'est le bon moment pour lui soumettre ma demande.

– Je dois absolument mener une entrevue avec Charles Dunham, Jojo !

– Oh, il doit être mort, ma chère Justine.

– Quoi ?

La réponse de Jojo me prend par surprise.

– S'il portait la moustache frisée en 1910, il ne doit plus être en vie aujourd'hui.

Ouf!

– Je ne parlais pas de lui, mais du monarque. Euh, je veux dire de son fils, le collectionneur à la carte de papillon.

– Ah, lui, se contente de répondre Jojo.

Comme je m'y attendais, elle ne se montre pas très enthousiaste. Je vais devoir redoubler d'efforts pour la convaincre.

– On pourrait l'appeler pour faire une entrevue avec lui sur son père et sur le métier de collectionneur?

– ...

– Il nous a invitées à le visiter, tu t'en souviens?

Jojo reste silencieuse.

– Euh, c'est pour un travail d'école.

– En plein été ? me demande Jojo en baissant ses lunettes rondes sur son nez.

Elle n'est pas dupe.

Je balbutie une réponse :

– Je pourrais prendre de l'avance pour l'an prochain ou encore en faire un reportage…

Jojo semble aussi peu convaincue que le masque africain à la baboune de bois.

– À mon avis, ce type cherche à accumuler les richesses sans vraiment aimer les merveilles qu'il achète.

Boum ! Un argument me traverse alors l'esprit.

– Jojo, c'est ma seule occasion d'interviewer une personne qui a vu autant de trésors anciens. Tu imagines quelle chance je laisserais filer?

Son regard change.

Je viens de marquer un point!

CHAPITRE 5

Qui dit plus ?

Je n'ai pas eu à attendre longtemps pour obtenir un rendez-vous avec Charles Dunham fils. Un simple appel hier soir, au retour du musée, et le tour était joué !

Depuis ce matin, j'ai la possibilité d'observer ce mystérieux personnage de près... et de prendre mon temps ! En effet, la célèbre horloge de Londres a depuis longtemps sonné midi et nous sommes toujours avec lui.

Jojo, le monarque et moi accélérons le pas pour arriver à temps à la vente aux enchères. Dans l'édifice où nous entrons, les portes d'une grande salle sont sur le point de se fermer. Téléphone en main, des gens chics se pressent à l'intérieur.

Près du majestueux escalier de marbre, de jeunes femmes en tailleur gris accueillent les acheteurs avec un air très sérieux. Elles ressemblent à Maureen, qui tarde à donner des nouvelles d'ailleurs… Si rien ne bouge du côté de la sécurité royale, Jojo devra peut-être annoncer aux producteurs du fameux film sur une princesse devenue espionne qu'elle n'est pas prête pour le projet.

Pour l'instant, elle accepte tout de même de laisser ce souci de côté pour me suivre dans un drôle d'événement… Selon elle, cela s'appelle vivre le moment présent.

– Justine, tu dois savoir que les collectionneurs du monde entier attendent cet encan depuis longtemps, m'explique le monarque d'une voix douce.

Dans ma tête, je continue à nommer Charles Dunham ainsi pour ne pas perdre de vue qu'il est mon principal suspect. Ce serait facile de l'oublier, car il s'est montré si gentil avec Jojo et moi depuis le début de la journée. À la fin de notre dîner de *fish and chips* dans le port londonien, il nous a même invitées à le suivre dans cette importante vente aux enchères pour m'aider à bien comprendre ses activités de collectionneur.

– Pourquoi attendiez-vous cet encan-là plus qu'un autre ? questionne Jojo.

Elle aussi se laisse tranquillement amadouer par le monarque. Si elle se doutait…

– Deux tableaux rares de grands maîtres ont été mis en vente en plus d'un vase de la dynastie Ming, répond le monarque, les yeux brillants.

Si je me fie à notre entrevue de ce matin, son père explorateur à la moustache frisée lui a légué une grosse fortune. Pourtant, le monarque, qui est seul et sans enfant, dit qu'il a réinvesti une partie de cet argent dans un projet très important qu'il souhaite nous présenter plus tard.

L'encanteur apparaît à l'avant, sur ce qui ressemble à une petite scène avec un écran à l'arrière. Il n'a pas encore posé les mains sur le lutrin que la salle complète a déjà fait silence. Ce qui s'en vient, c'est du sérieux!

On en est seulement au deuxième bien et je suis déjà étourdie!

Un fauteuil Louis XV vient d'être adjugé pour la somme de 75 000$ à un acheteur japonais. Je n'en reviens pas! Le monarque semblait intéressé, mais il attend la pièce de résistance, comme il dit. Il s'agit d'un tableau du grand peintre Gaétan Van Dog.

Je pense à Théo qui veut animer la vente-débarras du terrain de camping et j'ai tout à coup une idée pour lui...

– Jojo, tu me prêtes ton téléphone une minute?

Cling, cling!

Il fallait s'y attendre. Quand Jojo écarte ses colliers pour atteindre sa sacoche, elle mène tout un boucan ! De riches acheteurs ne manquent pas de le lui faire savoir en roulant des yeux. Seul le monarque ne semble pas dérangé. Il propose même à Jojo de l'aider.

Jusqu'à maintenant, je n'ai pas trouvé de suspect aussi sympathique dans mon roman d'Amanda Tristie ! Je le guette du coin de l'œil... Mais où cacherait-il donc le sitar de Jojo ?

Comme s'il lisait dans mes pensées, le monarque se tourne vers moi et commente le nouveau bien mis en vente : une magnifique table en bois d'acajou.

– Cette pièce est sublime, mais je vais m'abstenir de soumettre une offre, Justine.

– Et pourquoi ?

– Il s'agit d'un meuble de famille volé durant la guerre. Aujourd'hui, les descendants tentent de le racheter pour reconstituer leur patrimoine familial. Cela n'a pas de prix !

Le monarque a l'œil humide en me confiant cette histoire.

– On volait des meubles en pleine guerre ?

J'imagine mal des gens se sauver avec du mobilier sur des champs de bataille.

– On dépossédait plusieurs personnes de leurs biens et on les chassait même de leur maison... Ça ne se fait pas de prendre ce qui ne nous appartient pas!

Charles Dunham laisse tomber ses derniers mots en me regardant droit dans les yeux.

J'aurais là une belle occasion de tester sa sincérité, mais Jojo me tend enfin son téléphone.

Au moment même où je saisis l'appareil, il se met à vibrer. C'est sûrement ma mère qui exige des photos. Au bureau, elle change chaque jour le fond d'écran de son ordinateur avec de nouvelles images de mon voyage. En fait, elle montre à ses collègues absolument tout ce qui m'arrive depuis ma première dent!

Numéro de téléphone inconnu.

Je n'ose pas répondre et encore moins discuter dans cette salle où l'on brasse de grosses affaires. Jojo reprend l'appareil et répond en dépit du regard exaspéré de la dame du bout de la rangée.

Cling, cling !

Poussée par les soupirs d'impatience, elle se décide finalement à sortir de la salle.

Si Maureen avait été là, elle aurait certainement intercepté le téléphone. Comme elle doit veiller à ce que tous aient une conduite irréprochable en tout temps, on dirait qu'elle a un sixième sens pour prédire les comportements !

***

L'encan est terminé et je n'ai pas réussi à filmer ce que j'aurais tant voulu montrer à Théo : le moment excitant où les acheteurs s'emballent dans la salle et offrent toujours plus les uns après les autres.

Cinquante mille dollars une fois... Cinquante mille dollars deux fois... Qui dit mieux ?

Curieusement, le monarque n'a pas retenté d'aborder Jojo au sujet des instruments anciens. Après tout, il est peut-être bien placé pour savoir que son sitar n'est plus en sa possession...

Dans le taxi qui nous ramène à l'appartement, Jojo parle peu. Après quelques minutes de silence, elle finit toutefois par m'adresser la parole.

– Tout à l'heure, c'est le neveu de Zlatar qui a téléphoné, commence par dire Jojo.

– Ah oui ? Est-ce qu'il va mieux ?

– Selon lui, il y a un peu d'amélioration, mais il était bizarre au téléphone et n'arrivait pas à répondre à mes questions. Je crois qu'il ne me dit pas tout.

– Ah bon ?

– Peut-être que Zlatar n'en a plus pour longtemps, mais qu'il n'ose pas l'avouer. La vérité fait parfois peur, ma belle Justine, poursuit Jojo.

– Alors ce voyage est peut-être ta dernière chance de revoir ton maître ?

– Exact, et je ne veux pas passer à côté. C'est décidé, nous irons chez lui à la première occasion !

Je me croise les doigts pour que Jojo n'annule pas sa participation à l'événement auquel le monarque doit assister. Je ne peux pas rater cette occasion d'approfondir mon enquête, même si sir Charles Dunham m'a donné l'impression d'être une personne de confiance, aujourd'hui.

Je pense aussitôt à *miss* Scrabble qui souligne l'importance de suivre une piste jusqu'au bout… Ne baissons pas la garde ! Après tout, dans deux jours, nous quittons l'Angleterre et nous risquons ensuite de perdre définitivement la trace du sitar.

Il faut l'avouer, Jojo semble moins préoccupée par cette disparition que par l'état de santé de Zlatar.

– À l'idée de dire adieu à mon cher maître, je sens mon corps s'alourdir de chagrin ! confirme Jojo alors que nous roulons sur le célèbre pont de Westminster.

– Tu connais sûrement une posture de yoga pour retrouver ta légèreté…

Je tente d'encourager Jojo de mon mieux.

– Il y a un sauna au sous-sol de l'immeuble où nous louons notre appartement. Respirer dans une chaleur extrême devrait libérer des toxines !

Chic! Sa séance devrait me laisser un peu de temps pour raconter mon étonnante journée à Théo.

CHAPITRE 6

L'heure des découvertes

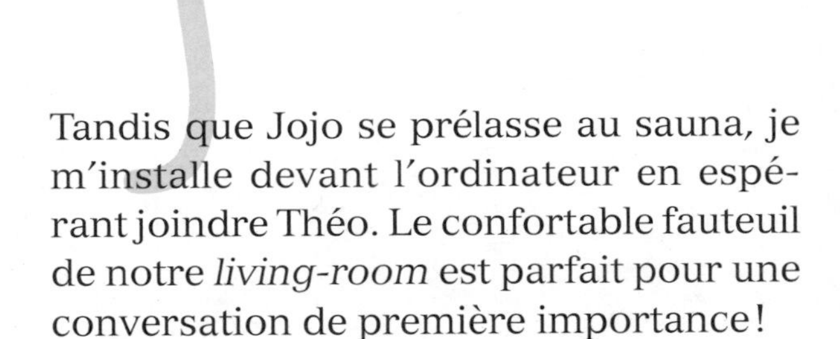

Tandis que Jojo se prélasse au sauna, je m'installe devant l'ordinateur en espérant joindre Théo. Le confortable fauteuil de notre *living-room* est parfait pour une conversation de première importance !

Pas de réponse chez mon ami. Zut !

En attendant de pouvoir lui parler, je décide de regarder la nouvelle vidéo des New Stealers que Théo m'a vantée. Il a raison : le scénario est impressionnant !

Sur le toit d'un très haut immeuble, le chanteur joue le vilain, coiffé d'un masque et la cape au vent. On comprend qu'il domine la ville tout entière. Derrière lui, les autres membres du groupe jouent de leur instrument avec un air intrigant. À la fin, ils s'élancent tous vers le ciel comme s'ils partaient conquérir le monde.

Curieuse, je continue de naviguer sur le site Web des New Stealers. Je constate que je ne connaissais vraiment rien de leur parcours quand je les ai croisés. Le groupe a publié quelques photos récentes du concert à Buckingham Palace. Ça me fait drôle de revoir les musiciens exactement comme lorsque je les ai rencontrés en personne.

Oh, ils ont même publié un *selfie* avec le prince ! Maureen ne devait pas être dans les parages au moment où la photo a été prise !

Je scrute les images attentivement pour voir si Jojo s'y trouve. En contemplant une photo, je sens que mon cœur se met à battre très fort.

Au premier coup d'œil, rien de spécial. Le groupe prend la pause à l'arrière-scène avec quelques techniciens après le spectacle. Ce qui se passe derrière me fait toutefois frémir : je reconnais le monarque en train de photographier avec son téléphone... le sitar de Jojo !

Ça ne peut être un hasard. Il préparait certainement son coup.

Cette nouvelle preuve me bouleverse.

Toc, toc, toc !

Trois coups résonnent à la porte.

Encore ébranlée par ma découverte, je ne sais pas quoi faire. Mamie me répète toujours de ne pas ouvrir aux inconnus. Il est clair que je ne connais personne à Londres. Enfin, sauf...

... Maureen !

– Jojo ?

Je m'approche de la porte et, surprise, elle s'ouvre toute seule!

Jojo pénètre dans l'appartement. Détendue par sa séance de sauna, elle se déplace lentement, suivie de Maureen qu'elle vient de rencontrer sur le pas de la porte.

– *Good afternoon, Justine,* me salue Maureen sur un ton monocorde.

Elle me dit *bon après-midi* avec la même intonation que si elle me donnait l'heure, mais ça n'a pas d'importance. J'espère seulement qu'elle a de bonnes nouvelles concernant le sitar de Jojo.

Vêtue d'une djellaba[3], Jojo invite Maureen à s'asseoir autour de la table ronde de notre *living-room.*

Zut ! Malgré tous mes efforts, je ne saisis pas un mot de ce qu'elles se racontent. Il faut dire que l'accent britannique augmente le défi. Maureen finit par sortir une feuille de papier soigneusement

3. Longue tunique à capuchon pointu, comme on en porte dans le désert du Sahara.

conservée dans une enveloppe. C'est une photocopie...

Quand Maureen quitte l'appartement quelques minutes plus tard, Jojo ne paraît guère encouragée. Je me retiens de lui poser mille questions, mais j'ose tout de même m'approcher de la table où le document a été déposé.

– La sécurité royale n'a pas réussi à obtenir la preuve absolue que mon sitar a été déposé chez Zlatar, l'autre matin, même si un chauffeur de confiance assure l'avoir fait. C'est à n'y rien comprendre! laisse tomber Jojo.

Avec la photo que je viens de découvrir sur le site des New Stealers, je me dis que le monarque avait peut-être des complices parmi les membres du personnel... Mais qui?

– En tout cas, si les responsables de la sécurité avaient surveillé ton sitar comme Maureen surveille les invités, il n'aurait pas disparu!

Jojo est comme un Bédouin en réflexion dans sa tunique orangée. Elle ne semble pas m'entendre. Je m'apprête à répéter ma phrase quand... non! ce n'est pas possible! Mes derniers mots résonnent en boucle dans ma tête: Maureen nous surveille!

Agir comme responsable du protocole serait le prétexte parfait pour garder à l'œil une personne et la tenir à distance. En plus, Maureen est l'intermédiaire entre la sécurité royale et nous, les simples invités!

Deux découvertes si rapprochées dans le temps me donnent très chaud.

Je presse mon collier amérindien pour me calmer. La douce plume dorée me rappelle aussitôt de conserver le même sang-froid que l'aigle, mon animal totem. L'agitation brouille parfois la vision.

Tiens, c'est drôle, je me mets à penser comme Jojo !

Fébrile, je me dirige vers la table. De plus près, la feuille de papier ressemble à un petit formulaire avec un étrange dessin griffonné dans l'espace pour la signature... En fait, on dirait une sorte de triangle.

– Le chauffeur qui serait allé déposer mon sitar chez Zlatar, l'autre matin, a remis un reçu de réception bizarrement signé par le destinataire, résume Jojo.

Un peu sonnée par les événements, elle ne remarque rien de ma confusion. Je respire profondément pour reprendre mes esprits et ne rien laisser paraître dans ma voix.

– On n'a pas posé plus de questions au chauffeur ?

– Il s'est justifié en soutenant que Zlatar l'a accueilli et qu'il ne savait visiblement plus comment signer. Le chauffeur prétend qu'il lui aurait laissé l'instrument en se fiant à sa notoriété, m'explique Jojo tout en cherchant à comprendre.

– Ce n'est pas son neveu qui répond aux visiteurs ?

– C'est ce qui serait logique, en effet.

La version du chauffeur pourrait bien être inventée de toutes pièces…

Tout en caressant ma plume d'aigle, je tente de mettre l'action en ordre dans ma tête.

Tout d'abord, le monarque aurait essayé de négocier avec Jojo. Devant son refus, il serait passé au plan B : voler le sitar, aidé par des membres du personnel, dont Maureen et le chauffeur feraient partie. Ainsi, grâce à ses complices, il serait allé voir l'instrument de plus près même si l'accès aux coulisses était interdit aux gens qui ne participaient pas au spectacle. Puis, le lendemain matin, l'un de ses complices aurait fait disparaître l'instrument.

L'histoire se tient, mais un journaliste estimerait que toute la lumière n'a pas encore été faite sur cette affaire... À ma place, *miss* Scrabble chercherait-elle d'abord à faire avouer ce vol au monarque ou à espionner Maureen ?

Tu tu tu tu, tu tu tu tu...

C'est Théo qui me rappelle !

Comme l'ordinateur se trouve au beau milieu du *living-room,* je n'ai plus la possibilité de parler à mon ami de mon enquête secrète qui progresse à un rythme prodigieux.

– Salut, Théo !

Je fais comme si de rien n'était, mais j'ai terriblement envie de partager avec lui mes découvertes.

– Tu as tenté de m'appeler plus tôt. As-tu du nouveau ?

Théo semble avoir oublié que je mène mes recherches en toute discrétion. Changeons vite de sujet !

– Euh, oui, j'ai regardé la nouvelle vidéo des New Stealers et…

Mon ami me coupe aussitôt la parole pour parler de musique. Ouf!

– C'est incroyable, hein ? C'est inspiré de la jeunesse rebelle du chanteur. Tu sais, il ne pouvait s'empêcher de faire des mauvais coups, des vols surtout.

– Hein ?

– Oui, ce n'est pas pour rien que le groupe s'appelle les Voleurs.

– Quoi ? *Stealers,* ça veut dire « voleurs » en français ?

– Exact ! On dit même qu'en souvenir de sa jeunesse, Ron vole parfois un objet symbolique lorsqu'il vit de grands moments. Les vrais *fans* savent ça ! ajoute fièrement Théo.

Je revois le chanteur faire mine de subtiliser le téléphone de l'employé après le *selfie*. Se pourrait-il que...

Ouf ! Toutes ces nouvelles informations qui arrivent à la vitesse de la lumière me font l'effet d'un coup de tonnerre.

Jojo passe devant moi pour se rendre à sa chambre. Vite, je questionne Théo en baissant la voix :

– Tu penses que Ron aurait pu voler le sitar de Jojo ?

– Bah, ce n'est pas impossible... et ce n'est peut-être que temporaire. Par exemple, Ron a déjà piqué une baguette au batteur de son groupe juste avant qu'il monte sur scène! raconte Théo en s'esclaffant.

Mon ami réalise-t-il que mon enquête pointe maintenant dans trop de directions à la fois?

Je mets fin à l'appel, sous le choc.

CHAPITRE 7

Un parfum de mystère

Jojo a le pas traînant en ce petit matin.

Cette répétition ne l'enchante pas du tout, mais elle a tout de même décidé d'y aller.

– Je suis sûre qu'il y aura un super bon sitar pour toi en studio, Jojo.

J'essaie de l'encourager de mon mieux, mais je suis concentrée sur les pistes qui se sont multipliées hier, en un court instant.

– Certainement, mais je doute qu'il sache porter aussi bien les notes qui habitent mon cœur de musicienne, dit-elle, résignée.

De mon côté, j'ai bien réfléchi et je compte profiter de cette répétition pour faire la lumière sur la participation des New Stealers à cette affaire. Peut-être est-ce Ron, le vrai coupable? Être une vedette mondiale ne donne le droit à personne de priver Jojo de son objet préféré dans tout l'univers.

Tandis que nous attendons notre transport, Jojo se rassoit près de la fenêtre en tambourinant sur son front du bout des doigts. Je tente une blague pour détendre un peu l'atmosphère.

– Tu n'as pas ton métronome pour battre la mesure?

Jojo sourit.

– Je ne suis pas en train de mémoriser un bon tempo, je cherche seulement à ouvrir mon troisième œil pour la journée qui commence.

Ce qui est bien avec Jojo, c'est qu'on ne peut jamais deviner ses réponses à l'avance!

J'imagine que c'est la même chose pour les suspects.

***

– *Good morning.*

Quoi? Maureen nous accompagne?

Je suis évidemment troublée de la trouver dans la voiture qui vient nous chercher. Devant mon étonnement, Jojo donne quelques explications.

– J'avais oublié de te dire que nous allons faire un arrêt à l'inauguration d'une roseraie municipale offerte par la famille royale. On nous déposera ensuite au studio.

Je tente d'avoir l'air naturelle, même si j'ai une suspecte à mes côtés.

– C'est pour cet événement-là qu'on s'est levées si tôt ?

– Oui, les New Stealers ne seraient jamais debout à cette heure !

– Comment le sais-tu ?

– Ce sont des vedettes rock qui vivent de nuit et qui ont pour principe de ne jamais poser aucun geste avant midi. S'ils savaient comme l'énergie d'un lever de soleil est bénéfique ! Leur gérant prétend même que toute action matinale leur porterait malheur, imagine !

Est-ce que cette superstition inclurait aussi le vol d'un sitar avant l'heure du déjeuner ? J'aimerais prendre le temps d'y réfléchir sérieusement, mais l'occasion d'observer Maureen de près est trop belle.

Je fais mine de m'intéresser à son métier.

– Tu peux demander à Maureen depuis combien de temps elle travaille pour la famille royale d'Angleterre ?

Ma requête surprend un peu Jojo, mais elle accepte tout de même de traduire.

– *Four years,* répond Maureen avec le plus grand sérieux.

Hum, quatre ans, ça donne le temps de devenir une complice de choix !

Comme si elle flairait ma stratégie, Maureen change aussitôt de sujet.

– *So, Justine, do you enjoy London ?*

Je hoche la tête.

Bien sûr que j'aime Londres, même si je ne me serais jamais imaginé y vivre un roman policier ! Je commence à comprendre pourquoi Amanda Tristie était si inspirée. D'ailleurs, il serait temps que j'attaque un prochain chapitre, histoire de tirer quelques trucs à *miss* Scrabble sur la meilleure façon de déstabiliser un suspect.

***

Les nombreuses allées de roses forment une sorte de labyrinthe où Maureen nous suit absolument partout. Rien d'étonnant ! Ne réalise-t-elle pas que cette haute surveillance est exagérée quand on voit clair dans son jeu ? Après tout, quel faux pas Jojo pourrait-elle bien faire dans un jardin au grand air ?

Un simple coup d'œil derrière un bosquet me détrompe aussitôt ! Jojo a déterminé que l'endroit était parfait pour effectuer les étirements qu'elle n'a pas eu le temps de faire au lever.

Un peu décontenancée, Maureen tente en vain de la ramener parmi les invités en lui offrant des sablés et du thé, mais Jojo se contente de faire non… la tête en bas.

Comme le dit Théo, sur Jojo rien ne colle, pas même le protocole!

– Cette chère Maureen, elle n'a pas l'habitude d'accompagner des personnalités aussi hautes en couleur que Jojo! lance une voix familière.

Coup de théâtre!

C'est le monarque qui vient d'apparaître dans la petite allée menant au pavillon de la roseraie. J'aurais dû me douter qu'il ferait partie des invités, lui aussi.

– *Sir Dunham!*

Maureen semble soulagée de le voir. Comme s'il venait lui apporter du renfort.

Habilement, le monarque propose de nous amener voir la nouvelle variété de rose créée en l'honneur du prince.

– Bien sûr ! J'ai terminé de délier mes muscles, répond Jojo en remettant ses sandales.

Le visage de Maureen se détend. Il me semble même l'avoir vue jeter un regard complice au monarque. Quelque chose me dit que je ne dois plus attendre pour imposer un interrogatoire à ce dernier. Serait-ce le moment ou jamais ? Maureen dit être appelée au pavillon de verre. Tiens, tiens, les complices se relaient !

Les choses vont si vite que je m'en veux maintenant de ne pas avoir montré à Jojo la photo du monarque avec son sitar juste avant sa disparition. Si elle savait, elle n'attendrait pas une minute pour lui poser des questions. C'est parti. Je me lance !

En quelques pas, je rejoins Jojo et le monarque qui sont déjà un peu plus loin dans l'allée. Le monarque se retourne à mon arrivée.

– Et moi qui croyais devoir attendre de prendre le thé pour vous revoir!

Le monarque parle de l'événement qui, ce soir, soulignera notre départ.

– Vous savez, nous avons presque dû nous désister. Vous comprenez, voir Zlatar est ma priorité et j'aurais certainement saisi ma chance s'il avait pu nous recevoir en soirée.

Toujours aussi élégant, le monarque ramasse un pétale au centre de l'impeccable sentier et s'adresse à Jojo d'un ton navré:

– J'ai appris dans quel état de santé se trouve votre maître.

Je saute sur l'occasion pour lui poser une première question, mine de rien:

– Vous le connaissez bien, c'est ça?

– Je connais l'homme et son talent, bien sûr! Cet ami m'a d'ailleurs inspiré mon intérêt pour les instruments anciens…

Si je m'attendais à ce que Charles Dunham aborde lui-même le sujet!

Aussi zen qu'un moine bouddhiste, Jojo se tait et écoute paisiblement. Pour la première fois, elle semble disposée à entendre parler de cette idée. C'est peut-être l'effet du parfum des roses… Moi, je ne veux pas perdre le fil de cette entrevue d'enquête qui débute plus vite que prévu. J'enchaîne donc avec une autre question:

– En quoi ces instruments peuvent-ils vous intéresser?

– Je veux m'assurer que ces pièces rares restent entre bonnes mains…

– Que voulez-vous dire?

– Celles qui savent en jouer.

Sa réponse me paraît un peu vague, mais il précise tranquillement sa pensée.

J'écoute très attentivement tout ce que dit le monarque. Il ne le sait pas, mais lorsque je me transforme en journaliste, mon animal totem prend toute la place... Je suis comme un aigle hyper concentré capable de percevoir le moindre faux mouvement dans la nature.

– Saviez-vous, Charles, que je n'ai jamais retrouvé mon sitar depuis le concert pour le prince William ? laisse-t-elle tomber avec calme.

Sans le vouloir, Jojo fait une manœuvre qui risque de déstabiliser mon suspect... Bien joué !

Je guette la réaction du monarque.

– Bien sûr ! On m'a même interrogé à propos de cette disparition, répond-il avec simplicité.

Ça alors!

Pour l'instant, il ne montre aucun signe de nervosité. Je me dis qu'il sait bien cacher son jeu! Je tente, moi aussi, de ne pas révéler ma stratégie, mais la fébrilité me gagne peu à peu et je trébuche sur les mots…

– Mais, euh, pourquoi aurait-on des dou… doutes sur vous?

Ma question semble maintenant mettre le monarque mal à l'aise. Il cesse même d'admirer les énormes roses jaunes à la droite de l'allée.

– Évidemment, je suis au-dessus de tout soupçon, s'empresse-t-il de préciser.

La tension monte d'un cran.

Une autre question me brûle les lèvres: pourquoi est-il allé prendre en photo le sitar juste avant qu'on perde sa trace?

J'ai chaud et mon pouls s'accélère : est-ce que moi, Justine Ranger, une enfant qui souhaite devenir journaliste d'enquête, j'oserais confronter sir Charles Dunham ? Je prends une grande respiration, mais comme j'ouvre la bouche, le monarque a déjà commencé à se livrer...

– Je me dois de vous dire ceci : Jojo, comme vous sembliez peu encline à répondre à mon invitation, j'ai voulu saisir la chance de voir de près, au moins une fois, votre sitar si unique...

Pendant que Charles Dunham cherche ses mots, je cesse presque de respirer. Serait-il sur le point d'avouer ?

Jojo, qui n'avait pas de tels soupçons, le regarde avec des yeux ronds.

Il poursuit de plus belle :

– Cela me gêne de le révéler, mais, durant la soirée, j'ai persuadé un employé de m'amener en coulisses pour observer les instruments. Je me disais que cela ne créerait pas de problème puisqu'en tant que sir et collectionneur, la famille royale me savait sans reproches. Enfin, c'est ce que je croyais, avant qu'on me soupçonne...

Le silence est lourd dans la roseraie!

Je me surprends maintenant à relancer l'interrogatoire avec l'aplomb d'une professionnelle:

– Vous seriez donc le dernier à avoir vu le sitar?

Jojo semble stupéfaite devant mon intervention. Elle connaissait ma passion pour le journalisme d'enquête, mais peut-être pas à ce point.

– Pour tout dire, je me suis permis de le photographier. C'était la seule façon d'en conserver un souvenir juste.

Le monarque termine ses explications avec un peu plus d'assurance. Mais, comme le dirait *miss* Scrabble, il manque encore une pièce au puzzle.

Je me décide à poser une dernière question :

– Jojo est une vedette de la musique. Puisqu'il existe plusieurs images d'elle avec son sitar, pourquoi n'avez-vous pas simplement pris l'une d'elles ?

Le monarque me regarde, surpris. Depuis le début, il n'avait sans doute pas réalisé que je suivais cette discussion avec autant d'attention.

– Justine, ta brillante question me prouve que tu seras en mesure d'apprécier mon invention à sa juste valeur ! Si tu le veux bien, attendons le thé de 16 heures. Je pourrai alors te la présenter en guise de réponse.

Échauffée, je poursuivrais volontiers l'interrogatoire, mais j'accepte à regret d'attendre encore un peu pour connaître le fin fond de l'histoire. Cela permettra-t-il au monarque de se défiler ? De toute façon, Maureen est de retour et nous presse vers l'entrée, où une voiture nous attend pour nous conduire au studio. On jurerait qu'elle guettait le bon moment, celle-là !

– À bientôt, inspectrice Justine, me dit le monarque, avec un sourire en coin.

Ne t'échappe pas, papillon, mon filet est long !

Ces mots résonnent en moi pendant que je lui fais un signe de la main. À peine remise de sa surprise, Jojo me glisse à l'oreille :

– Si j'avais kidnappé un sitar, je ne voudrais pas avoir affaire à toi !

Elle m'ébouriffe ensuite la rosette, devant le regard incertain de Maureen.

Oui, parfois, les enquêtes, ça décoiffe !

CHAPITRE 8

Une répétition étonnante

Les New Stealers ont déjà commencé à jouer lorsque nous arrivons au studio. Dans le brouhaha composé de rythmes à la batterie et de notes de guitare électrique, un homme à la veste de cuir, qui semble être responsable du projet, vient serrer la main de Jojo.

Comme nous entrons du côté de la console d'enregistrement, qui compte au moins 10 000 boutons et cadrans, j'ai le temps d'observer le groupe qui joue de l'autre côté de la vitre. Bien sûr, je ne vois plus Ron du même œil... Avec son passé de jeune brigand et sa propension à chaparder des souvenirs, je n'ai d'autre choix que de le considérer comme un suspect dans toute cette affaire.

J'y pense : aucun instrument ressemblant de près ou de loin à un sitar ne se trouve dans la pièce. Je me demande bien ce qu'on a prévu pour Jojo...

Mon regard se fixe maintenant sur Ron. Aurait-il été capable d'une telle chose ? Derrière son micro, il me sourit ! C'est clair, il me prend pour une admiratrice impressionnée. Je songe à Théo. C'est promis, je demanderai à Ron de faire une petite vidéo pour lui tout à l'heure. Ce sera, en même temps, l'occasion de l'interroger.

L'homme derrière la console montre un pouce en l'air : le son est bon. Les New Stealers font une pause.

Un à un, les musiciens se présentent à Jojo.

Ils ne se connaissent pas encore très bien, car le concert pour le prince, réglé au quart de tour, leur a laissé bien peu de temps pour discuter.

Ron s'avance avec un gros objet recouvert d'un drap blanc et le dépose sur un trépied. Est-ce que ce serait... ?

– *Let's sing happy birthday to Jojo!* crie-t-il à travers la pièce.

Je reconnais vite la version anglaise de la chanson qui accompagne tous les anniversaires. Jojo ne m'avait pas dit que le sien était aujourd'hui !

Je me tourne dans sa direction : elle semble amusée...

– Ce n'est pas ma fête, Justine. Je me demande à quoi tout cela rime !

Mais où donc Ron veut-il en venir ? Je brûle d'impatience de voir le cadeau qui se cache sous le drap !

À la manière d'un chef d'orchestre moqueur, Ron fait signe à tout le monde de se taire. Dans son anglais à l'accent américain, il invite Jojo à s'approcher. C'est le moment de vérité !

Une petite enveloppe marquée du sceau royal est attachée à ce qui ressemble au manche de l'objet. Jojo parcourt rapidement le message qu'elle contient. Puis retire le drap d'un seul coup.

L'instrument est magnifique, mais son bois foncé, presque noir, ne laisse pas de doute : ce n'est pas le sitar de Jojo, comme je l'aurais espéré.

– C'est un cadeau du prince pour remplacer mon sitar disparu, m'explique Jojo, sous le choc.

Sans rien dire, elle se contente de faire glisser ses doigts fins sur les cordes métalliques couleur bronze. J'en ai des frissons tellement c'est beau ! Les New Stealers aussi semblent transportés par ces notes. Ron s'approche le premier, avec un air d'enfant émerveillé.

– C'est la première fois qu'il approche un sitar, lui !

Hum ! Ron saurait-il si bien jouer la comédie ?

Mon instinct me dit que mes soupçons sur la vedette du rock m'ont peut-être menée sur une fausse piste...

À l'instant, il se produit un imprévu : Jojo semble vivre un coup de foudre pour son nouvel instrument. Même si le chanteur des New Stealers la bombarde de questions sur le sitar, elle joue sans s'arrêter, comme si elle était seule au monde.

Le temps serait-il venu de tourner la page ?

Je n'hésite qu'une fraction de seconde. Pas question de laisser tomber avant d'être allée au fond des choses avec le monarque !

***

Lorsque nous quittons le studio pour nous rendre à notre petite fête de départ, je vois bien que le scénario de notre dernière soirée à Londres n'emballe pas trop Jojo.

Elle aurait plutôt souhaité vivre ce moment auprès de Zlatar. Selon son neveu, il aurait encore besoin de repos. Nous irons le saluer rapidement demain, juste avant de prendre l'avion. C'est peu pour Jojo, mais tout de même mieux que de ne pas le voir du tout.

Il n'y a pas de doute : l'état de santé de son maître est devenu sa première préoccupation. Comme si son nouveau sitar et celui qu'elle a perdu ne comptaient plus. Le thé de 16 heures et tous les invités venus la saluer encore moins !

Moi, j'attendais cet instant impatiemment !

Talonnée comme toujours par Maureen, Jojo circule de l'un à l'autre, un peu absente. Elle n'a jamais particulièrement aimé la vie mondaine.

Pour Théo, ce serait tout le contraire !

D'ailleurs, il a adoré ma vidéo de Ron filmée au studio.

Habituée de dire quelques mots dans la langue de ses *fans*, la vedette du rock a même lancé: «Bonjour, Théo et *good luck*!»

J'ai dit à Ron que Théo était animateur radio. Mon meilleur ami aurait bien aimé avoir aussi une promesse d'entrevue en direct, mais cette vidéo de son idole devrait lui donner suffisamment d'énergie pour la vente-débarras du camping.

Jojo réussit à échapper à Maureen et m'amène dans un coin de la salle où de petits sandwichs au concombre sont servis.

Tout en mangeant, je balaie la salle des yeux dans l'espoir d'y voir le monarque. Espérons qu'il ne se soit pas défilé. Il me doit bien une réponse, après tout!

Ça y est! Je l'ai repéré.

Évidemment, il discute avec sa complice Maureen.

Oh, mais il semble nous chercher !

Avec sa démarche racée, il vient dans ma direction.

– Justine, tu as choisi un bel endroit pour te poser.

– Oui, à côté du plateau de sandwichs !

Charles Dunham rit de bon cœur.

– Regarde plutôt ce magnifique fauteuil du 19e siècle, juste là !

Jojo nous rejoint, une tasse de thé à la main.

– J'ai demandé de la tisane de pousses de bambou, mais ils m'ont plutôt servi ce thé Earl Grey, commente-t-elle en prenant une gorgée.

– Tu as vu, Jojo, ce fauteuil est très ancien !

– Je dirais même qu'il s'agit d'un authentique *Regency*, mais nous allons vérifier cela tout de suite, Justine, laisse tomber le monarque d'un air énigmatique.

Je sens qu'il se passe quelque chose de spécial.

Le monarque saisit son téléphone et le passe doucement tout autour du fauteuil.

– La caméra de mon appareil numérise actuellement les motifs du tissu et la structure du meuble. Elle compile ainsi d'importants microdétails, comme les nuances des couleurs et le type de bois utilisé, énumère Charles Dunham avec entrain.

Tout en poursuivant ses explications, le monarque nous montre maintenant des images du fauteuil qui défilent à toute vitesse sur l'écran de son téléphone.

– Voyez, l'outil technologique que j'ai mis au point compare les images que je viens de capter avec celles qui se trouvent dans les banques d'images officielles de la collection *Regency*. En quelques minutes seulement, les images de mon téléphone auront été comparées par grossissement.

– Vous avez inventé ce système pour reconnaître les œuvres que vous croisez sur votre chemin ? s'étonne Jojo.

– Oui, il permet de tout savoir de leur provenance et des modifications qu'elles ont connues avec le temps, mais c'est aussi un redoutable détecteur de contrefaçon !

Charles Dunham a prononcé ces derniers mots de manière triomphante.

Il s'arrête quelques secondes, l'air ému, puis il ajoute :

– Mon père savait apprécier la beauté unique des objets d'art de partout. Il aurait été fier que sa fortune serve aujourd'hui à connaître les secrets de ces trésors de l'humanité et à les distinguer d'avec les milliers d'imitations.

J'enregistre mentalement ces mots du monarque si parfaits pour un reportage! Jojo me sourit. Elle se doute bien que ces propos du collectionneur ne tombent pas dans l'oreille d'une sourde.

– Justine, tu sembles éprise de vérité, toi aussi. Commences-tu à comprendre pourquoi j'avais besoin de prendre moi-même une photo du sitar de Jojo?

– Vous mettez aussi des images des instruments dans votre répertoire?

– Oui, ma chère! Le bois de l'instrument est numérisé jusqu'à la plus petite éclisse... Évidemment, pour cela, il faut des images non retouchées. Ce qui est difficile à trouver de nos jours, croyez-moi!

– Et moi qui pensais que vous vous intéressiez à mon sitar pour l'acheter ! laisse tomber Jojo.

– Pour moi, un instrument ne doit jamais être éloigné de mains de talent, répond le monarque avec douceur.

– Vous voulez bien m'envoyer cette photo ? Ce serait un dernier souvenir de cet ami qui m'a si longtemps servie, lance Jojo d'une voix sereine.

Je devine qu'elle se fait tranquillement à l'idée de dire au revoir à son sitar.

Le temps serait-il venu aussi pour *miss* Scrabble et moi de classer cette affaire ?

CHAPITRE 9

La journée des adieux

Ma valise est bouclée et déposée près de la porte.

Il ne nous reste que quelques heures à passer à Londres. Demain, j'aurai retrouvé mes parents, et Jojo, sa Californie. Heureusement, elle rentre chez elle avec un sitar à ses côtés.

Elle en parlait même à Théo Radio il y a quelques minutes à peine.

– Je n'avais pas vu venir ce changement de cycle dans ma vie de musicienne, mais je suis maintenant prête à laisser un nouvel instrument s'exprimer sous mes doigts, a confié Jojo à Théo juste avant sa vente-débarras.

Même très occupé, mon ami ne voulait pas rater la chance de mener une entrevue à distance avec une vedette de la musique ! Bien sûr, il en a profité pour me rappeler de le regarder ensuite en direct. C'est ce que je fais, là, à l'instant !

– Attention, j'ai ici une magnifique chaise longue qui s'est un peu assouplie avec le temps, mais qui est toujours aussi confortable !

Les rires des campeurs se font entendre.

Le bouton clignote pour indiquer que Théo est filmé en temps réel. C'est sûrement son père qui tient le téléphone. Il fait un bon travail de caméraman puisqu'on voit très bien, à l'ordinateur, une chaise un peu usée, mais tout de même invitante...

– Ce produit vous réserve des moments de détente parfaits : c'est la promesse de son propriétaire, Gilles Laverdure, un habitué du camping Beau soleil depuis plus de 15 ans !

Chemise ouverte sur son ventre bien bronzé, le vacancier se pointe à côté de Théo et agite la main à la ronde. On dirait bien que tout le camping s'est donné rendez-vous à la fameuse vente-débarras !

– Gilles, quel est le prix de départ demandé pour ce fabuleux trône de jardin ?

Mon ami s'est transformé en animateur de jeu-questionnaire télévisé et fait rigoler les campeurs avec sa description !

Le propriétaire bedonnant hésite.

– Hum ! Je le laisserais partir pour cinq piastres, j'cré ben !

Théo ramène le micro vers lui avant d'ouvrir les enchères.

– Imaginez ! Vous pourriez profiter du soleil dans le grand confort tout l'été pour un prix aussi bas que cinq dollars. À qui la chance ?

C'est fou comme Théo a saisi rapidement les rouages d'un encan ! Je savais que c'était une bonne idée de lui parler de la vente aux enchères...

Une voix de femme résonne puissamment. Elle semble se trouver à deux pas du téléphone qui transmet l'événement.

– J'offre cinq dollars !

Théo regarde maintenant dans sa direction. On dirait qu'il me fixe, moi, à travers la caméra ! En véritable animateur, il a la présence d'esprit de saluer ses abonnés des réseaux sociaux.

– Merci aux auditeurs de Théo Radio qui me suivent actuellement. J'espère vous rencontrer en personne d'ici la fin de l'été !

Il se tait trois secondes (ce qui est très long pour Théo), puis il scrute les campeurs en attendant une nouvelle offre. Devant leur silence, il tente une relance :

– Cinq dollars pour madame Gibeau, la passionnée de pédalo ! Qui dit mieux ?

– Sept piastres ! lance une autre voix à gauche.

– Dix dollars ! renchérit la première acheteuse.

– Douze ! crie une nouvelle voix.

On entend un sifflement et même quelques applaudissements.

Les acquéreurs s'échauffent et Théo semble prendre de plus en plus de plaisir à cette vente aux allures d'enchères !

– Quinze ! s'égosille madame Pédalo.

J'aimerais bien savoir qui va obtenir la chaise longue de Gilles Laverdure, mais on cesse tout à coup de filmer. Le père de Théo est sans doute fatigué d'entendre une acheteuse déterminée hurler si près de son oreille !

***

Dans le taxi qui nous mène chez Zlatar, c'est le silence, mais l'ambiance n'est pas triste pour autant. Nous admirons les beautés de la ville une dernière fois.

Vêtue d'une tunique blanche très élégante, Jojo a noué ses cheveux en une longue tresse. Ce n'est pas là une tenue de voyage, mais plutôt un habit de circonstance pour aller rendre à son maître un dernier hommage.

Comme ce séjour a passé vite!

La voiture s'immobilise devant une immense maison de brique rouge. C'est donc là qu'habite Zlatar...

Jojo prend une grande respiration et m'entraîne hors du véhicule.

Le taxi est déjà reparti dans les rues de la capitale, mais Jojo et moi restons plantées sur le trottoir. À vrai dire, j'attends qu'elle avance pour la suivre.

Comme elle garde les yeux fermés et qu'elle a l'air recueillie, j'en profite pour observer l'impressionnante résidence de son maître de sitar. Les fenêtres sont plutôt grandes, mais les rideaux sont tirés partout, même s'il fait jour. C'est probablement parce que son propriétaire est malade et que la maison est souvent plongée dans le sommeil, peu importe le moment...

Curieusement, Jojo dit que Zlatar vit encore à l'heure de Bombay! C'est d'ailleurs là-bas qu'il lui a appris à jouer de son instrument, il y a plusieurs, plusieurs années.

À la fin de son adolescence, Jojo a visité l'Inde et découvert le sitar.

« La rencontre de ma vie », dit-elle souvent en entrevue.

Vite, elle a voulu tout savoir de cet instrument et s'est cherché un professeur à travers le pays.

« Après quelques notes seulement, Zlatar m'a acceptée comme élève », aime-t-elle aussi raconter.

Trois années d'enseignement plus tard, Jojo est partie pour la Californie avec le tout premier sitar de son maître en cadeau. Dans sa longue carrière, elle n'a jamais changé d'instrument, enfin pas avant notre voyage en Angleterre…

Jojo ouvre les yeux, puis se tourne vers moi.

– Allons-y, Justine, je suis prête à revoir mon maître !

Jojo pousse la petite clôture de fer forgé qui donne accès à la cour intérieure. Elle m'invite à passer la première dans un long corridor de brique étroit et humide. Comme le chemin est intrigant pour se rendre à la porte de Zlatar !

Une jolie fontaine nous attend dans la cour. Le bruit de l'eau est plutôt fort, mais je crois percevoir de la musique derrière… Elle semble provenir d'une petite fenêtre tout au fond. La seule qui n'a pas de rideaux.

Zing, dang, zing…

Les notes de sitar viennent peut-être de loin, mais je sais maintenant reconnaître cet instrument quand je l'entends. C'est peut-être même un disque de Jojo… Difficile à dire avec tous ces jets d'eau!

Zing, dang, zing…

Jojo a cessé de me suivre. Elle s'arrête net, et ce n'est visiblement pas pour regarder les poissons dorés dans la fontaine.

– Tu viens, Jojo?

– Chut! fait-elle doucement.

Zing, dang, zing…

Jojo avance maintenant sans bruit, concentrée comme une lionne flairant une gazelle.

Le son est de plus en plus fort.

– Ah!

Jojo lâche un petit cri de surprise.

– C'est le doigté unique de Zlatar!

– Euh, mais je croyais qu'il ne savait plus jouer?

L'incompréhension se lit sur le visage de Jojo. Quelque chose me dit que ce qui se passe en ce moment n'a rien de normal.

– En fait, tout le monde pensait qu'il avait oublié..., laisse tomber Jojo en accélérant le pas vers l'entrée arrière de la maison.

Comme je ne veux pas rester seule dans cette cour inconnue, je me dépêche de la suivre.

– Zlatar ! s'écrie Jojo dès que nous atteignons le seuil.

À l'intérieur, un homme plutôt petit et maigre est installé au sol sur un tapis rouge vin. L'air heureux, il joue d'un sitar identique à l'ancien de Jojo. Un peu plus et on dirait qu'il s'agit de son instrument disparu !

Nous sommes tout près de lui, mais il ne semble pas nous voir tellement il est concentré. L'air qu'il joue est très beau.

Je comprends pourquoi il est un maître de son art !

Les larmes aux yeux, Jojo décide de s'agenouiller à l'avant du tapis pour l'écouter. Sans détourner les yeux et les oreilles de Zlatar, elle me fait signe de m'asseoir aussi. Je n'ose ni bouger ni respirer. Je ne veux pas briser le charme !

Soudain, une porte s'ouvre et un homme entre dans la pièce, portant un plateau chargé d'une théière et de petits gâteaux.

Il sursaute en nous voyant là dans la maison et rétablit de justesse l'équilibre de son cabaret ! Heureusement, le thé chaud ne s'est pas répandu, mais une petite cuillère percute le plancher dans un bruit sourd.

Zlatar s'interrompt aussitôt.

Jojo s'approche de lui.

Il lui sourit, mais il ne donne pas l'impression de la reconnaître. Pourtant, il lui a enseigné pendant de nombreuses années !

– *I am so sorry,* lance au même moment le neveu de Zlatar.

Il s'excuse tout en prenant soin de déposer sur une table son plateau.

Pour l'instant, Jojo semble plus émue que contrariée.

Il y a de quoi : deux choses qu'elle n'espérait plus viennent d'arriver. En un seul instant, elle revoit son maître jouer et retrouve son sitar disparu, j'en suis maintenant certaine.

Visiblement gêné, le neveu de Zlatar nous sert le thé au beurre qu'il a pris soin de préparer.

Les yeux baissés, il présente de longues excuses à Jojo. Du même coup, il lui révèle sans doute la clé du mystère. Ah ! je donnerais tout pour comprendre ce qu'il dit en anglais ! À voir le visage attendri de Jojo, je devine qu'elle est loin d'être en colère…

Je regarde Zlatar, comme s'il s'apprêtait aussi à prendre la parole, mais il continue de garder le silence. Son neveu se lève pour l'installer dans un fauteuil confortable.

Jojo se tourne alors vers moi, les yeux humides. Va-t-elle enfin me traduire ses aveux ?

– Zlatar est un musicien virtuose qui n'avait pas joué une seule note depuis des années, jusqu'à ce que son tout premier sitar soit livré chez lui, l'autre matin…

– Quoi ?

– Tu as bien compris, Justine ! Son neveu vient de me raconter qu'il était allé chercher du pain frais pour notre déjeuner. Pendant ce temps, le chauffeur est passé ici et a remis à mon maître l'instrument de sa jeunesse. Dès ce moment, il se serait mis à en jouer sans vouloir s'arrêter.

Jojo s'interrompt, envahie par l'émotion.

– Tu imagines comment a réagi son neveu au retour de la boulangerie ! Il a fondu en larmes tellement il était ému de voir son oncle retrouver son grand talent oublié.

– Mais pourquoi il ne t'a rien dit?

– Il venait de trouver un passage vers la mémoire de son oncle et devait tout tenter pour le conserver, même me faire croire que mon sitar s'était volatilisé..., m'explique Jojo, bouleversée, en se tournant vers son maître.

Si je m'attendais à ça!

Bien assis, Zlatar nous regarde avec un sourire paisible sans trop réaliser que nous sommes ses invitées...

Jojo aimerait certainement que son maître puisse se souvenir d'elle. Moi, ça me ferait tout drôle si une personne que j'aime n'arrivait plus à savoir qui je suis.

Je songe soudain à Mamie au bord de la mer avec Caramel et Bernie. Je l'imagine mal oublier de se remettre de la crème solaire à la moindre goutte d'eau salée! Cette pensée m'amuse et me rassure à la fois.

Jojo a quitté la table et essaie maintenant de se rapprocher autrement de son maître. Elle attrape son sitar sur le tapis rouge vin et commence à jouer pour lui.

Dès la première note, le visage de Zlatar change. Il semble attentif à tous les sons !

Après quelques minutes, Jojo lui tend le sitar.

Tout naturellement, il caresse les cordes avec assurance, comme s'il n'avait jamais arrêté.

– Tu vois, quand il retrouve l'instrument de sa jeunesse, Zlatar se souvient aussitôt comment en jouer, me glisse Jojo à l'oreille tout en l'écoutant d'un air émerveillé.

Je flatte ma plume d'aigle et je me dis que nous sommes devant un beau mystère. Toujours aussi zen, Jojo lit dans mes pensées…

– La science observe parfois de petits miracles avec la mémoire, et la musique stimulerait une zone du cerveau assez magique…

Si je le pouvais, je ferais tout de suite un reportage sur cette incroyable histoire. Dommage, nous avons un avion à prendre !

***

L'embarquement a été long même si nous n'avons fait enregistrer qu'un seul instrument.

Jojo n'a pas hésité une seconde à laisser son ancien à Zlatar. Après tout, le sitar de sa jeunesse lui revenait de droit.

Cette folle intrigue enfin résolue n'en finit plus de me questionner !

– Si son neveu t'avait dit, dès le départ, qu'il avait reçu ton sitar, tu lui aurais laissé, non ?

– Bien sûr, mais ça, il ne pouvait pas le savoir. Plusieurs musiciens sont persuadés qu'ils ne peuvent pas bien jouer sans leur instrument préféré. Je n'étais pas loin de le penser aussi…

– Ton ancien sitar va te manquer ?

– Non, plus maintenant, puisqu'il a accompli sa plus grande œuvre : remettre Zlatar en contact avec son art.

Je soupire, songeuse.

– J'espère que le roman d'Amanda Tristie de Mamie donnera aussi le goût de l'enquête au lecteur qui le trouvera…

– Tu es vraiment certaine que tu l'as oublié sur le banc, dans la salle d'embarquement ?

– Oui ! Et dire que j'arrivais presque à la fin…

– Cela veut dire que tu peux désormais résoudre toi-même les énigmes de ta vie, me lance Jojo, philosophe, en pointant un nuage à travers le hublot.

J'espère que je n'aurai pas à attendre trop longtemps avant de tenir de nouveau ce livre entre mes mains… et que Mamie ne sera pas trop déçue que son roman soit resté en Angleterre !

CHAPITRE 10

De la féerie au camping

Ouf! Quelle chaleur! Je serais bien restée encore un peu dans le lac du camping Beau soleil, mais je ne voulais pas rater l'événement de l'été: le Noël du campeur avec Théo Radio!

– Ho! ho! ho!

Attendu depuis le début de la fête, le père Noël apparaît enfin avec son sac plein à craquer! Les enfants se pressent sur son passage et filent près de son trône de velours rouge, où ils seront bientôt appelés pour recevoir un cadeau.

Une mère tente d'appliquer de la crème solaire sur le visage d'une fillette qui se débat pour ne rien manquer de l'arrivée du père Noël.

Sur scène, au lieu d'une sage fée des étoiles, un lutin en bermuda que je connais bien anime la fête, micro en main.

– Il arrive en plein mois de juillet juste pour vous. Campeurs du camping Beau soleil et auditeurs de Théo Radio, accueillez le père Noël !

La foule pousse des cris de joie et, en bon animateur, Théo saisit le moment :

– Levez-vous tous et applaudissez celui qui a effectué un long voyage depuis le pôle Nord !

Avec son sens inné du spectacle, mon ami fait résonner dans les haut-parleurs la chanson *Feliz Navidad* ! Cet air de Noël aux sonorités tropicales donne du rythme aux campeurs, qui se déhanchent maintenant devant leur chaise pliante.

– Justine, regarde par ici !

Je me retourne et clic, clic, clic : en un instant, ma mère a pris autant de photos de moi qu'il y a de chocolats dans un calendrier de l'avent. Elle tient vraiment à capter tous les moments de ma vie… et à me les montrer aussitôt !

– Regarde comme elle est bonne, celle-là ! hurle ma mère en plaçant son téléphone juste devant mon visage.

Sur la photo, on dirait une mise en scène inventée.

À l'avant-plan, je souris et ma rosette au milieu du front semble avoir disparu à cause de mes cheveux mouillés. Pour une rare fois aussi, je ne porte pas mon collier à plume d'aigle, puisque je l'ai enlevé avant de me baigner. À la place, on remarque les bretelles de mon maillot nouées derrière mon cou. C'est comme si j'étais plus vieille que mon âge d'un seul coup ! La petite fille qui se tortillait plus tôt pendant que sa mère lui mettait de la crème semble maintenant la plus sage du monde et, tout au fond, sur la scène, Théo déguisé en lutin a l'air, lui, tout petit ! Rien ne laisserait deviner qu'il est un jeune animateur persuasif ayant réussi à convaincre un propriétaire de camping d'associer un tel événement à sa webradio.

Une phrase de Jojo me revient alors :

– Les apparences ne sont pas la vérité.

Hum ! Il faut bien l'avouer, cette photo raconte une jolie histoire qui n'est pas tout à fait la réalité. C'est un peu comme cibler son suspect numéro un à partir d'une ressemblance avec un personnage de roman policier...

Normalement, j'aime réfléchir en caressant doucement ma plume d'aigle. Comme mon collier se trouve dans le sac de plage, je passe plutôt la main dans mes cheveux. Le chaud soleil les a vite séchés et, sous mes doigts, je sens ma rosette, qui est encore plus prononcée à cause de l'humidité.

La petite fille à la lotion solaire recommence à se tortiller : cette fois, elle refuse de mettre un chapeau !

Je souris.

Le naturel revient au galop, comme le dirait Mamie !

Heureusement, ma grand-mère ne m'en veut pas d'avoir perdu son livre. Au fond, je la soupçonne de ne plus lire autant depuis qu'elle voyage beaucoup en compagnie de Bernie. Avec Caramel, ils ont même visité Jojo, la semaine dernière, en Californie.

Depuis son retour, Jojo apprivoise son nouveau sitar et prend tous les jours des nouvelles de Zlatar.

– Je ne sais pas s'il sera avec nous encore longtemps, mais je suis persuadée qu'il est bien chaque fois qu'il joue, et cela me suffit, nous a-t-elle expliqué l'autre jour, avec sagesse.

Un jet d'eau dans mon cou me sort de mes pensées. Qui peut bien s'amuser à m'arroser ? Du coin de l'œil, je vois mon père qui me vise à nouveau. Ma mère, elle, s'apprête à croquer ma réaction avec son téléphone.

– Allez, Justine, c'est à ton tour ! me dit-elle en pointant la scène.

Théo me fait signe de m'approcher. Le père Noël en chemise à fleurs m'attend avec un cadeau !

Je me tourne vers mes parents, étonnée.

– Je croyais que c'était juste pour les tout-petits ?

– On l'a reçu au bureau de poste hier, me crie ma mère, excitée, tandis que je me dirige en avant.

En retrait de la scène, je déchire le papier d'emballage à sapins verts que je reconnais bien : chaque Noël, mes parents s'en servent pour recouvrir mes cadeaux !

Sous l'emballage, je trouve une enveloppe portant des timbres de l'Angleterre… et un sceau représentant un papillon monarque. Ça vient de Charles Dunham ! Je voudrais ouvrir vite l'enveloppe, mais elle a été bien scellée avant de faire le voyage en avion. Je tâte la forme du paquet… On dirait un livre.

J'arrive enfin à déchirer une partie de l'enveloppe. Une feuille de papier jaune pâle s'en échappe…

Chère Justine,

Jojo m'a dit que tu avais perdu le roman d'Amanda Tristie.

Savais-tu que cette célèbre romancière s'est inspirée de mon père pour créer l'un de ses personnages ?

Je t'offre aujourd'hui une traduction qui m'a été donnée lors de mes études en France.

Si tu avais vécu à cette époque, peut-être Amanda t'aurait-elle aussi choisie comme modèle pour créer miss *Scrabble…*

Affectueusement,

Charles

Eh bien, je ne m'attendais pas à connaître la fin de cette histoire grâce à sir Charles Dunham !

Je saisis le livre à la reliure de cuir. Wow ! Il s'agit d'une ancienne édition de luxe. Je serre ce trésor contre ma poitrine.

Théo vient de terminer son émission spéciale en direct du Noël des campeurs et prend une pause avant les feux d'artifice de ce soir. Il s'approche de moi, intrigué.

– Qu'est-ce que c'est, Justine ?

– Un cadeau qui vient de me convaincre d'une chose importante, Théo : il faut toujours chercher à découvrir la vérité sans croire que l'on connaît d'avance la fin de l'histoire.

– Tu ne passerais pas trop de temps avec Jojo ? me lance-t-il en rigolant.

Je le détaille de la tête aux pieds. Avec son costume de lutin estival, il peut bien parler, lui !

– Et toi, tu ne serais pas trop souvent au camping Beau soleil ?

On rit tellement que Théo en perd l'une de ses oreilles pointues !

Au loin, un avion traverse le ciel. J'aime croire qu'il vole vers la Californie. Sans y penser, j'envoie en l'air un bisou pour qu'il se rende à Jojo.

Pour moi, il y a maintenant un peu d'elle dans tout… Une chose est sûre : je ne serais pas tout à fait la même Justine si Jojo n'était pas entrée dans ma vie.

FIN

Poursuivez votre expérience

sur notre site Web.

Vous pouvez aussi visiter notre page Facebook

www.facebook.com/EditionsFoulire/

Dojo et Justine

Geneviève Dumais

Illustrateur : Bruno St-Aubin

1. Granny Granole en vedette
2. Primeur dans le désert
3. Mystère royal à Londres